出版说明

本书是一部聚焦女性议题的名家作品集，诸多知名学者、文艺家、思想巨擘，从各自的角度出发，与读者真诚分享自己的女性观念，内容涉及女性的人格和权利、女性在历史与现实中的处境、女性问题的文化根源与思想根源等，处处闪烁着人文智慧的光芒。

需特别说明的是，本书收录了如鲁迅、胡适、庐隐、曹聚仁等现代名家的相关篇什，对于早期作品，本书原则上遵从时代用字特征、用语习惯，尊重各名家文本的特点和风貌，具体说明如下：

1. 一般惯用字，如"胡涂""糊乱""蒙眬""年青""摹仿""身分""原故""四支""支体""钞旧帐""未常""检直""甚么""那末""纪载"等，本书依循名家作品出版通例，一仍其旧。

2. "的""地""他""那"等用法，与今日亦不甚相同，此乃常识，原则上不做改动。

3. 书中译名如"伊利沙白"，今译伊丽莎白，"阿

1

剌伯"即阿拉伯,"高而富"即高尔夫,"拜轮"即拜伦,"居礼夫人"即居里夫人,"撒但"即撒旦,均保留原译法。

4.原文缺字、漏字的,用"□"表示。

5.脚注均为编者注。

希望这本书,能够给读者带来一些有益的启示,廓清读者心灵深处的迷雾,帮助读者收获一份清醒、一份洞见,能够更加积极、客观、公正地看待女性议题。

目录 Contents

PART 1
角落里的女性

女性地位问题 _ 李银河　003

自恨罗衣掩诗句 _ 翟永明　026

女子问题 _ 胡适　034

给一个女人 _ 沈从文　042

由中国女人的脚，推定中国人之非中庸，又由此推定孔夫子有胃病 _ 鲁迅　047

花瓶 _ 曹聚仁　054

敬告中国的女子 _ 胡适　057

PART 2
也是人，也是女人

女性独立与男女平等 _ 李银河　071

"女子成美会"希望于妇女 _ 庐隐　077

I

论女子留学的必要 _ 袁昌英　080

中国的妇女运动问题 _ 庐隐　090

关于妇女解放 _ 鲁迅　108

在法律上平等 _ 袁昌英　112

男女平等 _ 沈从文　128

PART 3
美的世界与女性

所谓"蓝袜子"者 _ 梁实秋　135

美的世界与女性 _ 丰子恺　140

女人 _ 朱自清　146

女性与音乐 _ 丰子恺　154

女子装饰的心理 _ 萧红　165

妇女谈话 _ 庐隐　170

谈家庭 _ 沈从文　180

结婚典礼 _ 梁实秋　189

PART 4
一种节烈观

我之节烈观 _ 鲁迅　197

曹大家《女诫》驳议 _ 胡适　210

杀奸 _ 周作人　231

论女子为强暴所污 _ 胡适　235

关于女人 _ 鲁迅　238

穷袴 _ 周作人　242

苏小小与白娘娘 _ 曹聚仁　250

PART 1

角落里的女性

女性地位问题

李银河

男女的不平等，
既有外在的事实上的不平等，
也有内在的感觉上的不平等。

对于我们的社会中两性究竟是否平等的问题,被访问的女性①也持有很不相同的看法,主要可以概括为两大类,一类人认为在她的生活环境中男女是平等的,自己并没有因为是个女人而受到歧视;另一类人则感觉到了男女的不平等,这种不平等既有外在的事实上的不平等,也有内在的感觉上的不平等。

一、男女是平等的

一位女医生说:"我听到很多女人说,来生不愿再做女人。可我觉得作为一个女人,我没有受到什么歧视。我们医院,女职工占五分之四,医学院也是女生多。因为我们是女性为主的单位,各科科长女的占一半以上。当然,男干部比起他们在单位的人数比例还是要大一些。"

"我认为我们的社会在男女平等方面做得很好。作为女人没感到受到什么压抑,也没有自卑心理。我们家从小

---

① 20世纪90年代,李银河做关于中国女性的感情与性的研究,深入访谈了来自各行业的数十位女性,本文就是这项研究的成果之一。

宠女孩，我外公就是喜欢女孩，父母又是喜欢女孩。我接触的夫妻都是女的比男的强，心理上都跟我差不多。当然，要是有人想照顾我，我也很乐意。"

"我从小所受的教育就是，男孩能干的事，我们都能干，甚至连体力劳动也不甘落后，一点也没有表现自己女性特征的意识。下乡劳动时，男的挑多少稻谷，我也要挑多少，还觉得特别自豪。"

一位在单位担任基层干部的女性说："我们单位是女的多，最近才调来一个30多岁的女的当一把手。在单位倒不一定看是男是女，主要看会不会搞关系。有很多人都是靠拍马屁上来的，靠送礼。我这个人太直了，所以总是到不提实在说不过去的时候才提拔我。"

"'文革'期间，我中学毕业后分到建筑工程队，正赶上宣传'男的能干的女的都能干'。队里搞'三八女子泥土班'，我们就成了第一批女泥工，爬脚手架等等什么都干，没有禁忌。男孩干的活我都干，没有女孩意识。和男孩唯一的区别是不骂脏话。"

有的女性并没感到受压抑，但她们不是把这种处境归因于男女平等，而是归因于自己没有去和男人竞争："我没感到因为是女人受到什么压抑，可能跟我自己不求当大官飞黄腾达有关，我没有干大事业的欲望。"

女性在家里的地位同她们在社会中的地位关系紧密。一位女性这样谈到这二者的关系："我丈夫劝我要在单位争取仕途，或者争取'钱途'。于是我就开始追求在单位被提拔，管钱，争取多拿奖金。我结婚后一直工资比他高，他对我就比以前好多了，不会太'大男子主义'了。"

"在我家里是男女平等的。我俩的家务分工不是封闭性分工，是开放性分工，谁有时间谁就做。"

不少女性认为，男女大体上是平等的，但在某些不太重要的方面，略有不平等的感觉："我在工作中没觉得男女有什么区别，主要看自己的能力。只是在调动工作时能觉出来男的容易女的难。"

一位离婚女性说："过去我没觉得有不平等，尤其我们单位女同志多，所以没觉出来。可离婚以后，别人都同情我，好像一个女的没有个男的就不行似的。现在谁一跟我提这个我就反感。我的婚姻失败就是因为我太依赖男的了。别人的同情在我看来就是不平等。"

也许正因为不少中国女性对自己的生活环境没有男女不平等的感觉，所以她们对于女性主义的看法似乎总带点否定意味，这一点已引起一些西方女性主义者的注意，她们对其中的原因疑惑不解。在我访问的女性当中，有些人对女性主义的理解就有偏差，以为闹女权就是要女人掌权来统治男人，例如，一位女同性恋者说："我赞成女性主义。我觉得女人应该统治男人。"她还说："男人自私、肤浅。我看到的男人都不行。"另一位女性虽然观点与她相反，但二者对女性主义的理解似乎是一致的，她说："我不赞成女权。我觉得女的闹女权显得没水平，一点生活的情趣都没有。但也有例外的情况——如果有人每天挨打受骂的，搞女权我也赞成。"

二、男女不平等

女性对男女不平等的感受可以分为社会不平等、家内不平等和心理气质上不平等几类。首先看她们对社会不平等的感觉：

一位中年女性讲了她母亲那一代人遭受的不平等及她们的反抗和追求："我妈刚生下来的时候，我外公在帐子里露了个头，问了一句话：男孩女孩？一听说是个囡囡（南方话：女孩），就说：溺死她。姥姥听到她噼里扑噜在马桶里挣扎，怪可怜的，就抱她出来。后来哥哥们都上学去了，家里就是不让她上学，她就一直在教室外面偷听。家里看她那么执着，终于同意她上学，她因为好多知识都偷偷学过，连连跳级，后来去上了师范。我认为，中国好多女性如此要强，就是千百年来压抑的反弹。"

"咱们国家的妇女地位相对于 GNP①水平是相当高的，但是从绝对情况看，妇女地位还是比较低的。妇女现在已经能够参与主流社会的活动，但是妇女参政水平还很低，我看中国在 30 年、40 年甚至 50 年里都不可能出现女总理、女国家主席。在我看来，参政是提高妇女地位的最重要目标，因为那是决策权力呀。"

"我认为新中国成立以后提出妇女走出家门，虽然看上去做到了男女平等，但是很虚弱，并没有从意识形态上发生足够的变化。从中国家庭的现实看，女人地位还是低的。男女在外面干一样的事，回到家妇女还要多干一重家务。西方有人羡慕中国妇女地位高，可我看到的情况是，有一个女的嫁了一个三代单传的男的，因为生了一个女孩就自杀了，为这种事自杀、受虐待的多的是。正由于以前表面上的地位提高，才有了 80 年代的退步：工厂裁员先裁女的，因为照顾妇女的硬性规定没有了。这是对前几十年的否定，就像否定人民公社一样。妇女要平等，要提高地位，就要先回到市场原则，在这个基础上才能获得真正的解放。女人要靠自身觉悟的提高，女人自我意识的增强

---

① 即国民生产总值，"Gross National Product"的缩写。

特别重要。社会给妇女提供的机会当然也很重要。"

"我觉得女性的地位可悲。虽然公关小姐一类工作可以找到，但这个社会实际上还是一个男人的社会。"

"我觉得男女不平等。女人要和男人获得同样的社会承认要付出的太多。婆婆要求我是个好媳妇，丈夫要求我是个好妻子，工作中男人认为女人天生不成。女人要得到同样的承认，一定要比男人做得好才成；男女做得一样时，别人一定会先给男的晋级；在我比男人强时，他们忌妒我，但是他们不是我的对手。"

"我觉得劳动人民阶层的妇女地位很低，知识分子阶层妇女地位高些，但还不是很高。农村女人就是传宗接代的工具，有些女人自己也这么看自己，生个女孩就很自卑，生个男孩就趾高气扬。"

"女性本身也在变化，现代西方的女性和19世纪的淑女已经不一样了。中国还有那么多人喜欢《渴望》里的刘慧芳，就证明人们对女性的要求还很传统，刘就是典型的中国淑女形象。"

一位当过大学教师的女性说："我觉得妇女的家庭地位提高了，社会地位没提高。那次评职称，我分数最高，但系里根本就没把女老师当回事。评职称时，女老师只是陪衬，好像是他们给我们点恩惠、恩赐一样。这还是一个男人的世界，他们成群结伙，没把女人当回事，没把你当对手。"

一位争得孩子抚养权的离婚女性说："我认为妇女地位不高。离婚条款对女人不利。过去男方每月只给40元抚养费，现在也才是60元。"

"一个离婚的男的找未婚的女的就很好找，离婚的女人要是找个未婚的男的，人们就觉得这男的亏了似的，这最能说明妇女的地位。离婚的女人再婚被叫作'二锅头'，意思是说她不是黄花闺女了。我知道很多女的就是因为再婚不容易才不敢离婚的。"

调查中发现的一个明显不公正的事例是招生分数线的不平等。一位重点中学的女教师说："我们学校为了多招男孩，有一次把女孩的分数线提高了三分，结果家长造反了，我们不得不把那些够分的女孩也招上来，结果那个年级学生总数就超过了其他年级。"

其次看家内夫妻间的不平等感受：

女性家务负担超过男性还是多数中国家庭的基本生活图景，一位在农场工作过的女性这样讲到自己的家务负担：

"自从结婚生了孩子之后,我就咬牙把所有的家务事都担了下来。我带孩子,他在外面拼命干活,就为了改变人们对我们未婚先孕的看法,为了再有出头之日。后来他当了班长、团支书,入了党,我也入了团,这下才翻过来了。可是这就成了习惯,家里的一切事都是我做。他变得懒极了。我就为他服务。"

一位女性讲到她对丈夫完全不分担家务的反感:"他早起晚回,把家扔给我。晚上就知道抽烟看电视,星期天睡大觉。我不舍得睡中午觉,我们三个人的衣服都是我洗。每天就像上了弦一样。"

有的女性抱怨男人像管小孩一样管束她们,一位女性这样说:"我和他没有亲密感。他不爱多说话,总是一副正人君子的样子。他和我距离很远,从不开玩笑,不说下流话。我往那儿一坐,他就说:坐正了。他还不许我白天上床,吃饭也不许说话,什么书都不让我看。"

第三,不少知识女性并没感觉到外在形式上的不平等,但还是能感到有一种心理层面的、微妙的不平等:

"从知识女性角度看,社会平等对我们来说不是很大的问题。从发挥自己的才干、创造自己的生活天地上,没感到来自男性的压抑。但是在观念层次上对女性的歧视还是存在的，尤其在学术界。学术界的男性中心比其他任何一界都顽固和明显。我时常感到，对于那些从女性出发的观点，男性会嗤之以鼻，好像不屑与你争似的。女性总是不自觉地更重视人和感情，因此常常会有被攻击被伤害的感觉。社会逻辑的男性化在学术观念上是根深蒂固的。"

"我认为男女是不平等的。我生活在男性的社会圈子里，感到他们给我一种压力，是无形的压力。不是他们不尊重我。我爱人天天做饭，给我买化妆品，做得都很好。但我觉得他们骨子里都是大男子主义。一个男人这样对我说过：我不可能跟一个女的很严肃很深刻地谈什么。他们觉得女的和他们在智力上没法对话。有一阵我和几个要好的男友天天辩论，他们就说，你是例外，你举出几个身边认识的女的是值得我们佩服的。我的确举不出几个能使他们佩服的女性。另外，他们给我一种压力，好像他们能在社会上做事，我在这方面没有他们那么多的能力和精力。"

"我在社会上、经济上、自己的专业上都能自立，但还是存在着感情的饥渴。他（爱人）对我算是很专的了，可我还是有不安全感，心悬在那里。我最软弱的地方就在这儿。有时会不由自主地去投合他，转回头一想又不舒服。对心理上的依赖感、安全感要求很强。"

"我在体魄强大的男人面前有一种感觉，觉得自己好像缩小了似的，心理不平衡。我喜欢本质上非常'男人'，行为上却很温柔的男人，要是特别张狂就可笑了。这种感觉跟力量有关。"

一位曾在月经来潮以后陷入过自卑感的女性说："我就那样很沮丧地生活了两年，觉得当女孩特别不好，当男孩多好啊。我还想，一辈子一共要来多少次月经啊，还不如一下都来了，然后就没事了。我觉得自卑，觉得和男孩生理差别那么大，加上我痛经很厉害，觉得比起男人有那么多的麻烦事，不得不把雄心壮志扔一边去。我一直觉得男人在生理上是优越的。"

"我从高中起就觉得男孩和女孩不可同日而语，觉得他们水平高，想和他们聊。我也不怕人说，说实在的还挺得意的——喜欢你的男孩多嘛。"

一位中学女教师这样分析男女两性的能力："女孩逻辑思维不如男孩；数理化不如男孩；对感情的要求多，而且比较早。但是好学校的女孩谈恋爱现象并不明显。虽然学习分数比男孩高，但是灵活运用方面不如男孩。有一次，学校给我布置任务，让我出的考题能多招些男生，这对我来说并不难，因为如果我照课本出题，就会有较多的女生考上来；如果我出需要灵活发挥的题，考上来的就会有比较多的男孩。这个我是有把握的。"

一位女画家说:"我同意那句话,做人难,做女人更难。同样的事,男人能做,女人做起来就难。比如说出画册、办画展,一个男同志就能一次两次地请客,把有关的人都请到,把事情办妥;要是我来请客,肯定会谣言四起,弄得你没法做人。"

"我觉得社会上有些说法对女人特别不公平,比如有句话说'最毒不过妇人心',可是在这个男人的世界,女人要是不狠一点就斗不过男人。比如说《大红灯笼高高挂》里的那些妻妾,《红楼梦》里那些女人,不坏就活不下来。你要当林黛玉、晴雯就活不下去,只有像探春、熙凤这样的狠心人才能活得好,只有像宝钗那样圆滑才能让老太太喜欢。社会上对女人不理解的太多,责难也太多了。"

"女性常常被感情所困。女性对男性的依赖究竟是源自本性的东西,还是社会加给她的?是应该改变的,还是应该保留的?女性在社会在经济上都可以很独立,但在心理上却希望依靠男性,崇拜他。在男女关系中,双方都从心底不接受平等的朋友关系,女性比男性更不愿接受。女性好像在心理上有这个需求。就因为这个,女性感情脆弱,很容易受伤害。有的人可以显得很潇洒,男女保有各自的生活空间。但是女性用情专一,一旦用情就收不住,变成滥情,能收放自如的就不是情了。我对女性的这个特点感到困惑:这到底是女性的弱点,是精神完善的大敌;还是个优点,应当保持?"

一位在文化圈里很活跃的女性说："这个城市里单身女人的圈子很多，我去参加过一些聚会活动。她们素质高，知识修养和情感的丰富程度也都很高。但是她们很多都有心理创伤，聚在一起话题不离男人。她们总是每人讲点自己的经历，然后就开始痛骂男人，骂得痛快淋漓。可越骂越说明你离不开男人。我觉得人没有安全感就容易偏激。我的感觉和她们不一样。我对这种聚会的第一个感觉是，女性真的离不开男性；第二个感觉是，她们的交谈有正反馈作用，增加对男性的怨恨心理，激发恶意，使得心理变得不健康。"

还有一些女性在两性差别问题上持有典型的本质主义的看法："男人和女人是那么不一样，男人是自我中心的、强悍的、进取的；女人是利他的、柔弱的、守势的。就像《太阳浴血记》里面所描写的那一男一女。"

"我在和男人相处时会不自觉地改变自己，如果他很温柔，我就温柔；如果对方狂暴，我也会变得狂暴。男人就是男人，女人就是女人。男人就是有力度的，女人就是柔情似水。既然人分成两性，就该各司其职。"

"即使是女强人也应当有女性的温柔，要打扮自己，像个女人的样子。"

三、态度与策略

女性在对男性的态度和策略上有很大差异,概括起来有以下几类。

第一种是主张争取男女平等,学会与男人平等相处:

"我觉得妇女的社会化过程和目标都有性别歧视。人的素质太低,没学会平等相处。男强女弱这类话语都是等级制的产物,我特别不喜欢'夫管严''妻管严''女强人''女性雄化'这类语言,我觉得这不是科学的概念。新型的两性关系应当学会平等相处。"

"我觉得城乡妇女的地位不一样,但是不管在城在乡,地位是由自己决定的。无论在家里,在单位,要把握自己的地位,全靠自己。女人不应该依赖别人。与其依赖别人不如依赖自己。"

"婚姻靠怜悯保持不住,非得自己有力量,能同对方匹敌,才能保住婚姻。"

第二种是承认男刚女柔、男强女弱,在男性面前取退让的姿态:

一位资质非常出色的女性有自己的一套处理男女地位关系的原则："我不和男人争。很多文化层次很高的男人喜欢我。我只看不写。一方面是因为我很懒散,另一方面是因为我不功利,不和他们争。"这位女性的大致还是出于直觉的男女地位关系对策,在我看来是颇具启发性,也颇具文化意味的。如果对她的直觉做一点理性的分析,我们可以看出她态度中的几重含义:第一,女人实际上具有和男人相等的智力和能力去做成任何事情,她至少是善解人意的,她能够对事物有和男人一样的理解力;第二,不愿对男人造成威胁,包括智力上的威胁和机会上的威胁。虽然男人希望女人懂得他们懂得的事情,但如果女人显得比他们强,他们就会感到不舒服,尤其不应和他们争夺有限的机会,否则他们会更不舒服;因此,一个成功的女人(注意:不是成功的人,而是成功的女人)是明明有能力有机会超过男人而故意不去超过他们的女人。调查到的这位女人就是一个典型的例证:许多男人感受到她的魅力,追求她,赞赏她,她是一个在做女人方面极为成功的人。然而,她的原则是对女性主义的一个挑战:一个女人应当去做一个成功的女人,还是应当去做一个成功的人?也许我们应当改变的是环境,是社会——把一个做成功女人和做成功的人是相互矛盾的目标的社会,改变为这两个目标不再矛盾的社会。这大概正是许多女性主义者追求的目标。但是,这样一个社会是可能的吗?

许多男人受不了妻子的社会地位超过自己,一位在业务上强过丈夫的知识女性如此总结道:"我比他强就闹矛盾;我一比他弱,需要他帮助时,关系就好了。"

一位离婚女性说:"我的恋爱总不能成功,就是因为我不会跟男人撒娇。男人不敢娶我,我这个人太强了。有个同事跟我说:我也许不该说这话,你要想再结婚,就应当主动点,放松点,别让人觉得你像个圣母似的,那样男的会怕你。你让人觉得高不可攀,让人不敢对你动手动脚,情不自禁地惧怕你,尊敬你。"

"我这人能力强,他在我这儿老觉得受压抑。我觉得我得处处表现为我不如他。他家社会地位不如我家,我处理一些问题,他们家的人老觉得我瞧不起他们。我也确实是瞧不起他们,但是没有流露出来。"

"我比我爱人强,他拘谨,我放得开。"

一位知识女性说:"女人要想成为强人要付出比男人多好几倍的努力。虽然我还算不上什么女强人,但找男朋友时也能感到一种压力:我老是得装傻,装嗲,装嫩,装得好像自己不是那么强。我实在不想装,可是不装不行。有朋友教过我,找男朋友时要显得羞涩一点,不要向男人炫耀自己,不要显出自己强来,别跟男人谈学问。朋友对我说,你不用刻意表现就已经够强的了,有些男人的确听了害怕。我发现这劝告还真有用,有时装傻还真管用。可就是这样,对方还是老觉得我太强。我觉得这样很可悲,人还是本色一些更可爱。"

"有的男的找对象不找条件特好的,觉得累。有的女的一考上研究生,男的就提出和女的吹。他们要找弱一些的女的,不找高学历的,不找家庭地位高的,用他们的话说就是,不伺候大小姐。有的男的不找大姑娘,专找离过婚的,觉得这样对方可能不太盛气凌人,可以仰视他们。"

有的女人以为建立一个女高男低的婚姻关系就能得到幸福和平等的感觉,其实未必如此。一位离婚女性讲了促使她建立一个女高男低的家庭的原因及后果:"我的婚姻选择受家庭影响很大。我爸对我妈不好,老打我妈,我从小看他们俩打架,发誓一定要找个脾气好的,不会欺负我的,对我不会高声说话的。我妈老说:跟个好男人,不打你不骂你就行了。结果我找的丈夫是个本科生,我是研究生,在他面前有优势。没想到他的男性尊严被压制了,他和我也没快乐可言。"

第三种是像旧式妇女那样,重新回到依赖男人的状态去:

近年来出现的太太群体是妇女地位问题中出现的一个

新现象。一位应男友要求辞去工作的家庭主妇说:"我老公说,我不让你出去工作就是怕人勾搭你。我听了这话很感动,没想到他对我这么好。"

一位准备在家做太太的女性并没有把她的选择同妇女地位问题联系在一起考虑,她说:"作为一个女人,没有特别觉得受到歧视。看你碰上什么人了。一个女人能碰上一个好点的老公,一个能挣钱的老公,自己能在家当太太,那有什么不好?等他再多挣些钱,我就想辞职了。挣够我们后半生的钱,我就可以辞职了。我不担心自己的地位问题。"

一位事业上很强的女性表达了她在依赖男人还是自立这个问题上的矛盾心理,她说:"我并不喜欢女的特别硬,反而觉得温柔、柔弱的女孩挺好的。我认识一些这样的女孩,自己什么都不去做,一切由男人来安排。我有时觉得她们那种生活特别幸福,特别羡慕她们,可是我又受不了自己变成这个样子。"

人们在性别问题上的观点千差万别,择其要,可以概括为四种立场:第一种是男尊女卑,第二种是男女平等,第三种是女尊男卑,第四种立场根本否定男女二元对立这样一种区分方法。

先看男尊女卑的观点。这是典型的男权社会和男权文化的看法。无论在东方还是西方，这种看法都是在传统时代最为盛行的观点，中国有"夫为妻纲"，西方妇女为了得到选举权也做过艰苦的斗争。在很长的一个历史时期，这种观点被视为天经地义，很少有人对它提出挑战和质疑。人们认为这似乎是一种天然的秩序，有意无意地把男女生理结构上的差异当作这一立场的基础。

首先向性别的传统秩序挑战的是男女平等的观点。社会主义的女性主义和自由主义的女性主义虽然在许多问题上有不同看法，但都属于强调男女平等的一类。"时代不同了，男女都一样"（毛泽东）；"女性不是天生的，而是建构出来的"（波伏瓦），这些思想脍炙人口。这种观点否定男尊女卑是以两性生理条件为基础的自然秩序，强调这种观点是社会强加给人们的偏见。男人能做到的事情，女人也能做到，只要给她们平等竞争的机会。它极力否定两性之间的差异。

进一步的挑战来自激进女性主义，它比男女平等走得更远，时间也更晚近些。它既否定男尊女卑的传统秩序，又反对男女平等的目标。它不是否定两性之间的差异，而是在承认两性差异的同时强调女性优越于男性。这种观点认为，无论在精神上还是肉体上，女性都比男性优越，前者的例子有爱和平不爱战争；后者的例子有性能力更强，适应恶劣生存条件的能力更强，平均寿命更长，等等。有人提出，如果世界上多一些女国家元首，战争可能会少些。

在性别问题上近些年才出现的新潮观点是后现代主义的女性主义。后现代女性主义认为，西方文化中自文艺复兴启蒙主义思潮勃兴以来，一直有一个两分（dichotomy）的思想脉络，其中很主要的一项两分的内容就是感情与理性，一般认为，前者是女性的特征，后者是男性的特征。后现代女性主义对这种划分持异议。它否定把两性及其特征截然两分的做法，不赞成把女性特征绝对地归纳为肉体的、非理性的、温柔的、母性的、依赖的、感情型的、主观的、缺乏抽象思维能力的；把男性特征归纳为精神的、理性的、勇猛的、富于攻击性的、独立的、理智型的、客观的、擅长抽象分析思辨的。这种观点强调男女这两种性别特征的非自然化和非稳定化，认为每个男性个体和每个女性个体都是千差万别、千姿百态的。它反对西方哲学中将一切做二元对立的思维方法，因此它要做的不是把这个男女对立的二元结构从男尊女卑颠倒成女尊男卑，而是彻底把这个结构推翻，建造一个两性特质多元的、包含一系列间色的色谱体系。这种观点虽然听上去离现实最远也最难懂，但它无疑具有极大的魅力，它使我们跳出以往的一切论争，并且为我们理解两性问题开启了一个新天地。

将中国妇女的状况同西方妇女加以比较，仅受礼教束缚的中国妇女的地位略微强于受宗教教义束缚的西方妇女的地位；中国妇女的地位同其他亚洲国家相比也略高一些。有些西方学者持类似看法，认为中国妇女与日本、印度妇女相比，有更多的自由，地位也更高一些。他们曾分析其中原因为：在中国人心目中，与传宗接代相比，性生活微不足道；中国人虽然喜欢性，却又不认为它是至关重要的。因此，女人常常可以与丈夫平起平坐，并参与他们的事业。英国甚至有观察家认为，中国人对生活的基本态度远不是印度式的，而是现代西方式的，有些连西方人都不愿接受的观念，都能被中国人迅速、彻底地加以采纳。曾到中国讲学的罗素就有这样的印象。

特别是我国从20世纪50年代鼓励妇女走出家庭参加社会生产活动以来，"男女不分"成为时尚，它既是对男女不平等的社会地位的挑战，也是对男尊女卑的传统观念的挑战。这一时尚在"文革"时期达到登峰造极的程度。它不仅表现为女人要同男人干一样的事情，而且达到有意无意地掩盖男女两性生理心理差异的程度。那个时代造就了一批自以为有"男性气质"或被男人看作有"男性气质"的女性。在那时，女人不仅要掩饰自己的女性特征，而且对于想表现出女性特征的意识感到羞惭，觉得那是一种过时的落后的东西。20世纪80年代以来，女性的性别意识在沉寂几十年之后重新浮现出来。最明显的表现是，女性开始重新注重衣着化妆，表现"女性特征"的意识一旦苏醒，立即发展得十分炽烈。

在否定"文革"中女人的"男性化"的过程中,又有人矫枉过正,表述了一种近似本质主义的思想:由于女性是人类生命的直接创造者和养育者,因而对生命有着本能的热爱,这种热爱生命的天性,使女性具有了独特的文化意识和文化心态。现代工业社会的最大缺陷,就在于它常常使人忘记了"人是生物"这一点,而生物离开生物性活动,就不可能获得幸福。如果男性文化将使生命变成机械并使其遭到毁灭,女性就必须履行自己作为生命的创造者和养育者的职能,发挥母性和女性独特的社会作用。这类思想的本质主义表现在几个方面:首先,它假定由于女性能生育,就"本能地"热爱生命;可是男人也为生命贡献了精子,也是生命的"直接"创造者,为什么他们就没有"对生命本能的热爱"呢?其次,它假定男性文化"将生命变成机械",女性文化强调人的"生物性",这是缺乏证据的。此类说法同西方有人将男性同"文化"联系在一起、将女性同"自然"联系在一起的想法如出一辙,而这种划分是本质主义的。

这种本质主义的性别观念深入到社会意识中,有时甚至以科学知识的方式表现出来。如前所述,人们在分析男女两性资质上的差异时都相信:女性逻辑思维不如男性;女性重感情,男性重理性;等等。女性是否比男性更重感情?人们以为这是一个先验的事实,其实它却存在着极大的疑点。在我看来,这是一种本质主义的观念,没有实验的证据可以证明,女性比男性更重感情;毋宁说,人类中有一些人比另一些人更重感情；但是前者不一定是女人，后者亦不一定是男人。换言之，有些男人是重感情的，也有些女人是不重感情的。把重感情当作女性整体的特征是错误的，而把它当成是天生如此更是本质主义的。

中国的传统性别观念与西方一个很大的不同点在于，西方人往往把男女两性的关系视为斗争的关系，而中国人则长期以来把男女关系视为协调互补的关系。阴阳调和、阴阳互补这些观念一直非常深入人心。但是，这并不能使中国人摆脱本质主义的立场，即把某些特征归为"男性气质"，把另一些特征归为"女性气质"，而且认为这些气质的形成都是天生的。后现代女性主义反对本质主义的立场对于上述文化理念来说是颇具颠覆性的，因为它根本否认所谓男性与女性的截然两分。对于深信阴阳两分的中国人来说，这一立场是难以接受的，甚至比西方人更难接受。这倒颇像法国和英国革命史上的区别：法国压迫愈烈，反抗愈烈，双方势不两立，结果是流血革命，建立共和；英国温和舒缓，双方不断妥协退让，结果是和平的"光荣革命"，保留帝制。在两性平等的进程中，西方女性主义激昂亢奋，声色俱厉，轰轰烈烈，富含对立仇视情绪；而中国妇女运动却温和舒缓，心平气和，柔中有刚，一派和谐互补气氛。但是在我看来，也正因为如此，若要中国人放弃本质主义的观念，恐怕比西方更加艰难，需要更长的时间。

自恨罗衣掩诗句

翟永明

这里的"自恨"是女人的自信和自尊:
只要给予女人与男人平等的机会,
她们同样可以成为国家栋梁。

游崇真观南楼,睹新及第题名处

云峰满目放春晴,历历银钩指下生。

自恨罗衣掩诗句,举头空羡榜中名。

2005年,我打算写一篇关于鱼玄机的文章,于是,打开电脑,搜索鱼玄机的资料。不料谷歌搜索中跳出来的,全是吓人标题——《情欲世界的女皇》《从"弃妇"到"荡妇"》《因妒折命的鱼玄机》《风流女道士》等,还有以此为题材拍摄的三级片。除去"荡妇"一类侮辱性字眼之外,更有许多评论,将鱼玄机与当下中国文学现实中的美女作家、身体写作混为一谈。因而使鱼玄机诗歌中超前的女性意识和卓越的诗歌才华,受到了双重歧视。

这让我感到:上千年之后,女诗人鱼玄机的命运和她的才华、她超出自己生活的时代的胆识和她前所未有的女性意识,仍然被当代社会、被现代人,甚至被文学史误读、亵渎和狎玩。

正是这个原因,使我的文章拖迟至现在,因为,当初的写作动机发生了转变,也使当时的一念之想,变成了一首诗《鱼玄机赋》。在这首诗中，我有意用现代侦探的眼光、当代女性的意识，以及历史传奇剧中的形式，讲述了一个"早生早死八百年"，具有现代意识的古代女诗人的命运。

在所有称鱼玄机为"荡妇"的文字中，均以鱼玄机进咸宜观入道之后，立牌"鱼玄机诗文候教"，为其"高张艳帜"的反面证据。但现在看来，当时的鱼玄机，不过是想要在诗艺上精进磋艺，为自己搭建一座交流沟通平台而已。如当时有网络，她自不必在咸宜观立牌，注册一博客足矣。但是，在当时"女子无才便是德"的年代，女性写作，本身就是一种对男权社会的冒犯。"像男人一样写作"（将写作变成自己的职业，志趣中还贯穿了文学野心），就更是一种对礼教、对社会的僭越；而"诗文候教"，与男诗人交流、唱和、即兴赋诗？"自是纵怀，此乃倡妇也"。不用分说，界限、标准都已定出，其后果和祸害，直延续到今天。

在我看来，鱼玄机在中国文学史中，是最具有女性意识的女诗人。不仅仅因为她的诗歌才华卓然，"才媛中之诗圣"（明·钟惺《名媛诗归》），而是因为她的思维、她对写作的看法、她的女性世界观，在她生活的那个时代，以及以后的许多年里，都是卓尔不群的。

既便是最开明的时代唐朝，正统的道学家也会认为：

文章虽是公器，却不能大过男女之防。况且，在强大的父权社会压抑下，大多数女性毫无自信心，自认为她们的创作是无意义无价值的。而且，由于自身意识也受封建和道德观念约束，使得她们写作的选题和审美上，都下意识地顺应她们的角色认知。加之由于社会的局限，她们事实上也不可能面对外部世界。在这样的大前提下，鱼玄机公然立牌"诗文候教"，可说是对封建礼教的一种傲视、不屑，甚至于反其道行之。鱼玄机的诗歌，就是非常具有独特的女性视点和女性意识的。

写下《游崇真观南楼，睹新及第题名处》这首"志意激切"的诗作时，鱼玄机时年二十岁左右，直至她被处决夺命，也仅有二十五岁。历史上对鱼玄机"杀婢案"已有定论，虽然这定论建立在寥寥几篇短而不详的八卦传记上。2005年，我写作《鱼玄机赋》时，只是将主题放在鱼玄机诗歌中的"女性意识"这一思考点上，无意去推翻那些定论。二十世纪之后，围绕这一悬案而产生的争议和翻案文章，已有很多。我只想从鱼玄机的角度，进行一次想象的推断。这样的推断，同样也建立在"我们只能猜测"——就像皇甫枚在《三水小牍》里，"猜测了她和绿翘的对话"这样的一种假设之中。在《鱼玄机赋》中，我假定她是一个"犯罪嫌疑人"，假定绿翘和她都是"冤死的鬼魂"，假定她"心如飞花"，所以"命犯温璋"。这样的假定，当然是今人之眼光，而且，是今人之"无罪推定"的法律眼光。

时间倒退回公元867年，鱼玄机与李亿关系破裂，按孙光宪《北梦琐言》说："爱衰下山，隶咸宜观为女道士"，也就是她所谓"高张艳帜"后不久，皇甫枚在传奇小说集《三水小牍》中这样记述："忽一日，机为邻院所邀。"回来后，因怀疑婢女绿翘与客人有染，于是：

> 及夜，张灯扃户，乃命翘入卧内讯之。翘曰："自执中盥数年，实自检御，令有似是之过，致忤尊意。且某客至款扉，翘隔阈报云：'炼师不在。'客无言策马而去。若云情爱，不蓄于胸襟有年矣，幸炼师无疑。"机愈怒，裸而笞百数，但言无之。既委顿，请杯水酹地曰："炼师欲求三清长生之道，而未能忘解珮荐枕之欢，反以沉猜，厚诬贞正，翘今必毙于毒手矣，无天则无所诉，若有，谁能抑我强魂？誓不蠢蠢于冥冥之中，纵尔淫佚。"言讫，绝于地。

玄机与绿翘的对话一段，被皇甫枚描绘得活灵活现，好似他本人在场。这篇八卦传记虽多有可疑，因其文，如《聊斋志异》般用的是传奇笔法，来记载晚唐的异闻逸事，还带有少许神怪色彩。但正是这篇文章将鱼玄机"杀婢"一事，盖棺论定。传至今日，成为鱼玄机"荡妇""杀人犯"等罪名的"确凿"证据。千百年来，也因此使得鱼玄机的才华，被排斥在正统文学史之外。传奇、流言就这样淹没、遮蔽和改写了一个女诗人的价值：作为诗人，她拥有的文学价值，以及作为女人，她所应有的人生价值。尽管，从写作开始，鱼玄机在她作品中和她的生活态度上，都在强调这两种价值。但这二者，几乎直接成了她死亡的催化剂。

还是公元867年，虽"朝士多为言"，但"至秋，竟戮之"。临死之前，鱼玄机有绝笔之作《句》。就在这"人之将死"的遗句中，她也并未伏罪，而是想象自己站在道教祭坛上，"焚香""端简"，把清白的希望，留至上天诸仙。

在我的《鱼玄机赋》中，正是基于对她作品的细读、揣摩，对她文学意识、女性意识的考究，对她在历经艰辛磨难，仍然持"何必写怨诗"的心理，来假定她"慧不拷银翘"。我不太相信一个写下"自能窥宋玉，何必恨王昌"这样诗句的人，会为一时的醋意，杀死身边朝夕相处的婢女。我更愿意相信京兆尹温璋这样的酷吏，和早就看不惯鱼玄机言谈举止的朝廷势力，罗列出了"欲加之罪，何患无辞"的罪名，更有皇甫枚这样的对女性加以欲望想象的无聊文人，一厢情愿地编织了一出杀婢案。

读《三水小牍》，可以看出皇甫枚赋予鱼玄机若干欲望和骚动，连与诗人文士的"鸣琴赋诗"，也被认为其中"间以谑浪"，其"一吟一咏"，更被认为是让风流之士"争修饰以求狎"的缘由。盛唐年间的李白，有许多与女冠酬唱应和之作，于是被称为诗仙。而女道士与男诗人的交往酬和，却为她带来杀身之祸，以及"求狎""倡妇"之类的名声。据说唐朝统治者甚为开明、开放，唐朝社会的思想文化对男女交往也有宽松的尺度。看起来，到了晚唐，"唐政之始衰，而以昏庸相继"，以致皇帝不顾大唐律法条例，亲自下旨处决鱼玄机，此中的含义可想而知。

鱼玄机是中国古代女诗人中自我意识相当强烈的女性，她不甘雌伏，按辛文房的说法是："其志意激切，使为一男子，必有用之才。"但天不假其愿，"罗衣"掩住了她的雄心壮志，她只能寄情纵怀于诗书之间，在她的《打毬作》中，最后两句："毕竟入门应始了，愿君争取最前筹。"正是她"争取最前筹"的个性和野心，使她写出了中国文学史上最具女性意识的诗歌。同时，也由于她事事时时都与众不同，也事事、时时被社会、被正统思想所不容，以致年轻毙命，至今仍被一误再误地受到多重误读。

在《游崇真观南楼，睹新及第题名处》一诗中，鱼玄机最为旗帜鲜明地表明了自己的女性意识，她对女人的自身才能的重视，对像男人一样，以一己之"才"谋稻粱的职业生活，她有着一种自信和向往。对男权压抑女性才华的不平，对女性自身的评估，她的见识和议论都远远超出了同时期习惯于依附夫君、婚姻、家庭的女性，甚至，超出了同时期及后世那些以写作娱男人的才女。

这里的"自恨",不像其他古代女诗人一样,并不是对"罗衣"(女性身份)的自卑、自怜,或是"花木兰"情结。而是对科举制度、朝廷政策、女性的政治利益和社会地位发出的思考和感言。这里的"自恨"是女人的自信和自尊:只要给予女人与男人平等的机会,她们同样可以成为国家栋梁。这在古代女诗人中,几乎没有人敢作如此胆大妄为之想。这与鱼玄机一贯的恃才傲物、藐视权贵、忠于自我的个性和思维有关。她认为是"罗衣"遮蔽了"我"的才华,"我"虽志存高远,在现实世界中却毫无希望。"举头空羡"中除了"自恨",还有一层"不服"(我在诗中虚拟了她的心理)。因为,崇真观上那些中了举的姓名,代表了"十年苦读""一朝闻名"的穷学士的野心和身份转换,哪怕他们出身寒微,来自穷乡僻壤。但通过"榜上名",他们的文学野心和政治野心,都得到了安放。而"游者""观者"鱼玄机却清楚地知道,这样的身份置换,于己,永无可能。

女子问题

胡适

在历史上,
只有孝女,贤女,烈女,贞女,节妇,慈母,
却没有一个"女人"!

我本没有预备讲这个题目①，到安庆后，有一部分人要求讲这个，这问题也是很重要的，所以就临时加入了。

人类有一种"半身不遂"的病，在中风之后，有一部分麻木不仁；这种人一半失去了作用，是很可怜的。诸位！我们社会上也害了这"半身不遂"的病几千年了，我们是否应当加以研究？

世界人类分男女两部，习惯上对于男子很发展，对于女子却剥夺她的自由，不准她发展，这就是社会的"半身不遂"的病。社会有了"半身不遂"的病，当然不如健全的社会了。女子问题发生，给我们一种觉悟，不再牺牲一半人生的天才自由，让女子本来有的天才，享受应有的权利，和男子共同担任社会的担子；使男子成一个健全的人，女子也成一个健全的人！于是社会便成了一个健全的社会！

我们以前从不将女子当做人：我们都以为她是父亲的

---

① 本文系胡适于 1921 年 8 月为安庆青年会公开讲演的演说词。

女儿，以为她是丈夫的老婆，以为她是儿子的母亲；所以有"在家从父，出嫁从夫，夫死从子"的话，从来总不认她是一个人！在历史上，只有孝女，贤女，烈女，贞女，节妇，慈母，却没有一个"女人"！诸位！在历史上也曾见过传记称女子是人的么？

研究女子教育是研究的什么？——昔日提倡女子教育的，是提倡良妻贤母；须知道良妻贤母是"人"，无所谓"女子"的！女子愿做良妻贤母，便去做她的良妻贤母，假使女子不愿意做良妻贤母，依旧可以做她的人的。先定了这个目标，然后再说旁的。

女子问题可以分两部分讲：

（一）女子解放。

（二）女子改造。

解放一部分是消极的：解放中包含有与束缚对待的意思，所以是消极的。改造却是积极的：改造是研究如何使女子成为人，用何种方法使女子自由发展。

（一）女子解放　解放必定先有束缚。这有两种讲法：一是形体的，一是精神的。

先讲形体的解放。在从前男子拿玩物看待女子，女子便也以玩物自居：许多不自由的刑具，女子都取而加在自己身上，现在算是比较的少了。如缠足，穿耳朵，束胸……等等都是，可以算得形体上已解放了。这种不过谈女子解放中的初级。试问除了少数受过教育的女子而外，中国有多少女子不缠足？如果我们不能实行天足运动，我们就不配谈女子解放！——我来安庆时候，所见的女子，大半是缠足；这可以用干涉，讲演种种方法禁止她们，我希望下次再来安庆时候，见不着一个缠足女子！——再谈束胸，起初因为美观起见，并不问合卫生与否；我的一个朋友曾经对我说，假使个个女子都束胸，以后都不可以做人的母亲了！

次讲精神的解放。在解放上面，以精神解放最为重要。精神解放怎样讲？——就是几千年来，社会上男子用了许多方法压制女子，引诱女子，便是女子精神上手镣脚铐。择几桩大的说：第一，未讲之先，提出一个标准来：——标准就是"为什么"？——"女子不为后嗣"：中国古时候，最重的是"有后"——女子不算——家中有财产，女儿不能承受；没有儿子的，一定去在弟兄的儿子中间找一个来承继受领。女子的不能为后嗣，大半为着经济缘故；所以应当从经济方面提倡独立。有一个人临死，分财产做三股，两个女儿得两股，一个侄子得一股，但是他的本家，还要打官司。这个问题如若不打破，对于经济，对于道德，都有极大的关系。还有"娶妾"：一个人年长了，没有儿子，大家便劝他娶妾，——就是他的夫人，也要劝他，不如此，人家便要说她不贤慧——请问这一种恶劣的行为，是从什么地方产生的？再进一步说，既然同认女子是个人，又何以不能承受财产，不能为后？——这是应当打破的邪说之一！

第二，"女子贞操问题"：何谓贞操？——贞操是因男女间感情浓厚，不愿意再及于第三者身上。依新道德讲，男女都应当守贞操；历史上沿习却不然，男子可以嫖，可以纳妾；女子既不可以和人家通奸，反要受种种的限制，大概拿牌坊引诱，使女子守一个无爱情没有见过面的人；一部分女子，因而被他们引诱了。如此的社会，实在是杀人不抵命的东西！贞操实是双方男女共有的，我从前说："男子嫖婊子，与女子和人通奸，是有同等的罪！"所以："男子叫女子守节，女子也可以叫男子守节！男子如果可以讨姨太太，女子也就可以娶姨老爷！"谢太傅——谢安——晚年想纳妾，但他却怕老婆；他的朋友劝他，说公例可以纳妾；他的夫人在里面应道："婆例不可！"——历来都用惯了"公例"，未常实行"婆例"。这种虚伪的贞操，委实可以打破。再简单说："贞操是根据爱情的，是双方的！男子可以不守节，女子也可以不守节！"第三，"女子责在阃内说"：女子的职务，在家庭以内，这种学说也是捆女子的一根铁索，如果不打断，就难说到解放。有许多女子，足能够做学问，可以学美术，文学……，可以当教员……；有许多男子，只配抱孩子煮饭的。有许多事，男子不能做而女子能做。如果不打破这种学说，只是养成良妻贤母，实在不行。我们要使女子发展天才，决不能叫她永远须在家里头。女子会抱孩子煮饭，也只是女子中的一部分，女子决不全是会抱孩子煮饭的；有天才的女子，却往往因为这个缘故，不得尽量的发展，就说女子不能做他种事业，但她们做教师便比男子好得多了。总结一句：我们不应当拿家里洗衣，煮饭，抱孩子许多事体来难女子。我们吃饭，可以吃一品香海洞春厨子做的，衣服可以拿到洗衣厂里去洗了！第四，"防闲的道德论"：由古代相传，男子对女子总有怀疑的态度，总有防闲的道德。现在人对女子，依旧有这一种态度。我听说安庆讲演会里职员，有许多女子加入，便引起了社会上的非难。我将告诉他们："防闲决不是道德！"如把鸟雀关在笼中，一放他便飞了；不然，一年两年的工夫，也就闷死了。当我在西洋的时候，见中国许多留学生，常常闹笑话；在交际场中，遇见了女子和他接洽，他便以为有意。由此，我连带想起一件故事。某人的笔记上说："有一个老和尚，养了一个小孩子，作为小和尚；老和尚对他防闲得利害，使他不知世故。某年，老和尚带这小和尚下山，小和尚一件东西也不认识，逢到东西，老和尚不等他问，便一一的告诉他。恰巧有个女子经过，老和尚恐怕他沾染红尘，便不和他说。小和尚就问，老和尚便扯道，这是吃人的老鬼。等到回山的时候，老和尚便问他下山一日，有所爱否？小和尚说，所爱的只是吃人的老鬼！""防闲的道德，就是最不道德！"我国学生，何以多说是不道德？实是因为防闲太利害了，一遇到恶人，便要堕落！我希望以后要打破防闲的道德论！平心而论，完全自由，也有流弊，不过总不可因噎废食的。不要以一二人的堕落而及于全部。而且自由的流弊，决不是防闲所可免，若求自由不流弊，必定要再加些自由于上面；自由又自由，丝毫流弊都没有了！因为怕流弊而禁止自由，流弊必定更多，而且更不自由了！社会上应存"容人的态度"，须知社会上决没有无流弊的。张小姐闹事，只是张小姐；李小姐闹事，只是李小姐；决不能因为一两人而及于全体的！愿再加解放许多自由，叫他们晓得所以，自然没有流弊了！

（二）女子改造　改造方面，比较简单些。解放是对外的要求；改造却是对内的要求，但也不完全靠自己的！

先说内部。女子本身的改造，无论女子本身或提倡女子问题的，都要认明目标：第一，"自立的能力"：女子问题第一个要点，就在这问题，女子嫁人，总要攀高些，却不问自立；我觉女子要做人，须注意"自立"，假如女子不能自立，决不能够解放去奋斗的。第二，"独立的精神"：这个名词，是老生常谈，不过我说的是精神上，不怕社会压制；社会反对，也是要干的！像现在这种时代，是很不容易谈解放的。不顾社会非难，可以独行其事。第三，"先驱者的责任"：做先锋的责任，在谈女子问题中是很重要的。我们一举一动，在社会上极受影响。先驱者的责任，只要知道公德，不要过问私德；一人如此，可以波及全体的。不要使我个人行为，在女子运动上加了一个污点！我最不相信道德，但为了这个起见，也不得不相信了！我常常说："当学生的，如其提倡废考，不如提倡严格考试；社交解放的先驱者，如提倡自由恋爱，不如提倡独身主义！"这是诸位要注意的！

给一个女人

沈从文

在两性生活上,
女子也有拣选的权利。

××：

来信说到你的朋友满有主张的去作姨太太，许多人都同我谈到这件事，各有各的意见，都问我是什么意见。

你是聪明人，为什么也说到这些？一个大学生做姨太太，难道就污辱了你们女子全体吗？别以为十年教育就可以使一个人把一千年的积习除去，你这奢望是不合道理的。现在学校教育告我们女子的，不是去否认那些"特权"，（许多人都承认那是权利！）反常常是暗示我们如何去得到那些特权，享受那些特权。你注意妇女问题，与其去研究太太们的事情，不如注意一下娼妓。南京据说已经没有娼妓了，这问题好像不适于你的研究，但一些"娼妓意识"，如何存在于女子生活里，你的事业一定能给你许多机会去发现它的。

信我的话，莫再为一个人作姨太太而难过吧。若这事真如你所说，是这时代女子的羞辱，那么，你去注意一下那些无数行将卖身或已卖身的人，她们值得你注意的还很多。疏忽了一般现象，只把一二在社会上稍有身分的人的行为，引来作话柄，这是新闻记者的事。因为庸俗需要这些，一个记者就供给这些材料。至于你，却不应当像一个记者的神气，来谈到这些的。你教了六年书，自己又读了十年书，难道还不知道"教育"是什么意义？做一个完全的公民，从大学校里还不能学到，为什么你期望那么苛，把若千年来女子卖买的习惯，就想从几年学校教育完全废去？

还有，我说，你别生气，你所受的教育，使你对于这点事也感到纠纷，这就证明你学的不甚适合于学校以外的天地。你自己忘了端午节的日子了，可是许多人到了那天，还一整天不作事，大吃大喝，家里有小孩子的，也多数极欢乐的穿了新衣，被强迫在额上用雄黄画一个王字。你不知道许多作父母的人的心事，也不知道许多作儿女的心事，这是你疏忽了你生活以外世界的原故。

莫说这个，拈出另一个题目来谈谈吧。

×××也嫁了又离了吗？这并不出奇！这是属于她自己的，没有旁人的分。她愿意如何处置她自己，别人置喙全近于废话。她觉得那个男子可以使她快乐，就嫁给他，到后发现了那男子不好，又遇到自己以为更好的男子了，就另外重新来改换一下。凡是这一类行为，她有她的权利。她能够这样自己爽爽快快处置自己到她满意的生活里去，比起许多女子无意中被男子欺骗了一次，就依赖这男子一世，可尊敬多了。×××她被女人骂她，这只证明女子都是为了男子的方便才能生存的证据，骂她的女人或者比她实在还更无耻。端静自好是女子的美德，但倘若这个人，在生理一方面，她需要得比平常人更多的热情，正如她的饮食分量一样，她因为这点理由，选择了两次三次，多同两个人接近，她不能算是不道德的。××吃酒很多，我们都称赞他的量大，没有人说他不道德。×××如今却被她的同学说是不道德的人，试想想那一群骂她的女人，涂满胭脂的嘴唇，说闲话够了，吃东西够了，是不是在另一种机会上，还能断绝过一个她所心爱的男子的接吻没有？

忠于自己，觉得自己生活的尊严，并不是胆小如鼠洁身自好苟延日子了事。一个好女人，在现在一种社会制度的估价上，一定是一个"忠于丈夫"的人。可是你明白，许多男子根本就不配说是"好丈夫"的。即或××的丈夫，他是一个完全的人，如一桌完美的席面一样，他的女人若不欢喜他，自己走了，赴另外一席，也不是不道德的。×××现在在友人中的孤立情形，我很同情她。我觉得骂她的女子，就正是一群自己不明白应当怎样活下的女子；骂她的男子，则更其见得无聊。因为每一个男子，都愿意在"幸运中"得到一个好女子，凡是同他们幸运有妨碍的事情，当然不同意的。女子的"性的自决"，将使许多男子幸运不能长久，所以男子反对这件事更多，那些骂她的女子，不过是以男子意见为意见的人，你不能不承认我这个话。

××，你也是女人，由于男子自利而成立的道德基础，是许可你惑疑，不应当如一般只想嫁一个教授了却终身大事的老同学才对的。

在两性生活上，女子也有拣选的权利。同时她还可以得到一些机会，补救她已成的错误。这些特权素来属于男子，为一个男子使用时，我们在习惯中从不惊讶。女子若并不觉得自己是一件东西，却以为自己也是一个人时，她的做人的证据，是看她能不能使用她自己这一项权利的。

…………

××

（这信给××的一个女人）

（本文原载1931年7月15日《文艺月刊》第2卷第7号，署名甲辰）

由中国女人的脚,
推定中国人之非中庸,
又由此推定孔夫子有胃病
——"学匪"派考古学之一
鲁迅

不缠之足,样子却还要古,
学者应该"贵古而贱今",
斥缠足者,爱古也。

古之儒者不作兴谈女人，但有时总喜欢谈到女人。例如"缠足"罢，从明朝到清朝的带些考据气息的著作中，往往有一篇关于这事起源的迟早的文章。为什么要考究这样下等事呢，现在不说他也罢，总而言之，是可以分为两大派的，一派说起源早，一派说起源迟。说早的一派，看他的语气，是赞成缠足的，事情愈古愈好，所以他一定要考出连孟子的母亲，也是小脚妇人的证据来。说迟的一派却相反，他不大恭维缠足，据说，至早，亦不过起于宋朝的末年。

其实，宋末，也可以算得古的了。不过不缠之足，样子却还要古，学者应该"贵古而贱今"，斥缠足者，爱古也。但也有先怀了反对缠足的成见，假造证据的，例如前明才子杨升庵先生，他甚至于替汉朝人做《杂事秘辛》，来证明那时的脚是"底平趾敛"。

于是又有人将这用作缠足起源之古的材料，说既然"趾敛"，可见是缠的了。但这是自甘于低能之谈，这里不加评论。

照我的意见来说，则以上两大派的话，是都错，也都对的。现在是古董出现的多了，我们不但能看见汉唐的图画，也可以看到晋唐古坟里发掘出来的泥人儿。那些东西上所表现的女人的脚上，有圆头履，有方头履，可见是不缠足的。古人比今人聪明，她决不至于缠小脚而穿大鞋子，里面塞些棉花，使自己走得一步一拐。

但是，汉朝就确已有一种"利屣"，头是尖尖的，平常大约未必穿罢，舞的时候，却非此不可。不但走着爽利，"潭腿"似的踢开去之际，也不至于为裙子所碍，甚至于踢下裙子来。那时太太们固然也未始不舞，但舞的究以倡女为多，所以倡伎就大抵穿着"利屣"，穿得久了，也免不了要"趾敛"的。然而伎女的装束，是闺秀们的大成至圣先师，这在现在还是如此，常穿利屣，即等于现在之穿高跟皮鞋，可以俨然居炎汉"摩登女郎"之列，于是乎虽是名门淑女，脚尖也就不免尖了起来。先是倡伎尖，后是摩登女郎尖，再后是大家闺秀尖，最后才是"小家碧玉"一齐尖。待到这些"碧玉"们成了祖母时，就入于利屣制度统一脚坛的时代了。

当民国初年，"不佞"观光北京的时候，听人说，北京女人看男人是否漂亮（自按：盖即今之所谓"摩登"也）的时候，是从脚起，上看到头的。所以男人的鞋袜，也得留心，脚样更不消说，当然要弄得齐齐整整，这就是天下之所以有"包脚布"的原因。仓颉造字，我们是知道的，谁造这布的呢，却还没有研究出。但至少是"古已有之"，唐朝张鷟作的《朝野佥载》罢，他说武后朝有一位某男士，将脚裹得窄窄的，人们见了都发笑。可见盛唐之世，就已有了这一种玩意儿，不过还不是很极端，或者还没有很普及。然而好像终于普及了。由宋至清，绵绵不绝，民元革命以后，革了与否，我不知道，因为我是专攻考"古"学的。

然而奇怪得很，不知道怎的（自按：此处似略失学者态度），女士们之对于脚，尖还不够，并且勒令它"小"起来了，最高模范，还竟至于以三寸为度。这么一来，可以不必兼买利屣和方头履两种，从经济的观点来看，是不算坏的，可是从卫生的观点来看，却未免有些"过火"，换一句话，就是"走了极端"了。

我中华民族虽然常常的自命为爱"中庸"，行"中庸"的人民，其实是颇不免于过激的。譬如对于敌人罢，有时是压服不够，还要"除恶务尽"，杀掉不够，还要"食肉寝皮"。但有时候，却又谦虚到"侵略者要进来，让他们进来。也许他们会杀了十万中国人。不要紧，中国人有的是，我们再有人上去"。这真教人会猜不出是真痴还是假呆。而女人的脚尤其是一个铁证，不小则已，小则必求其三寸，宁可走不成路，摆摆摇摇。慨自辫子肃清以后，缠足本已一同解放的了，老新党的母亲们，鉴于自己在皮鞋里塞棉花之麻烦，一时也确给她的女儿留了天足。然而我们中华民族是究竟有些"极端"的，不多久，老病复发，有些女士们已在别想花样，用一枝细黑柱子将脚跟支起，叫它离开地球。她到底非要她的脚变把戏不可。由过去以测将来，则四朝（假如仍旧有朝代的话）之后，全国女人的脚趾都和小腿成一直线，是可以有八九成把握的。

然则圣人为什么大呼"中庸"呢？曰：这正因为大家并不中庸的缘故。人必有所缺，这才想起他所需。穷教员养不活老婆了，于是觉到女子自食其力说之合理，并且附带地向男女平权论点头；富翁胖到要发哮喘病了，才去打高而富球，从此主张运动的紧要。我们平时，是决不记得自己有一个头，或一个肚子，应该加以优待的，然而一旦头痛肚泻，这才记起了他们，并且大有休息要紧，饮食小心的议论。倘有谁听了这些议论之后，便贸贸然决定这议论者为卫生家，可就失之十丈，差以亿里了。

倒相反，他是不卫生家，议论卫生，正是他向来的不卫生的结果的表现。孔子曰，"不得中行而与之，必也狂狷乎，狂者进取，狷者有所不为也！"以孔子交游之广，事实上没法子只好寻狂狷相与，这便是他在理想上之所以哼着"中庸，中庸"的原因。

以上的推定假使没有错，那么，我们就可以进而推定孔子晚年，是生了胃病的了。"割不正不食"，这是他老先生的古板规矩，但"食不厌精，脍不厌细"的条令却有些稀奇。他并非百万富翁或能收许多版税的文学家，想不至于这么奢侈的，除了只为卫生，意在容易消化之外，别无解法。况且"不撤姜食"，又简直是省不掉暖胃药了。何必如此独厚于胃，念念不忘呢？曰，以其有胃病之故也。

倘说：坐在家里，不大走动的人们很容易生胃病，孔子周游列国，运动王公，该可以不生病证的了。那就是犯了知今而不知古的错误。盖当时花旗白面，尚未输入，土磨麦粉，多含灰沙，所以分量较今面为重；国道尚未修成，泥路甚多凹凸，孔子如果肯走，那是不大要紧的，而不幸他偏有一车两马。胃里袋着沉重的面食，坐在车子里走着七高八低的道路，一颠一顿，一掀一坠，胃就被坠得大起来，消化力随之减少，时时作痛；每餐非吃"生姜"不可了。所以那病的名目，该是"胃扩张"；那时候，则是"晚年"，约在周敬王十年以后。

以上的推定，虽然简略，却都是"读书得间"的成功。但若急于近功，妄加猜测，即很容易陷于"多疑"的谬误。例如罢，二月十四日《申报》载南京专电云："中执委会令各级党部及人民团体制'忠孝仁爱信义和平'匾额，悬挂礼堂中央，以资启迪。"看了之后，切不可便推定为各要人讥大家为"忘八"；三月一日《大晚报》载新闻云："孙总理夫人宋庆龄女士自归国寓沪后，关于政治方面，不闻不问，惟对社会团体之组织非常热心。据本报记者所得报告，前日有人由邮政局致宋女士之索诈信□（自按：原缺）件，业经本市当局派驻邮局检查处检查员查获，当将索诈信截留，转辗呈报市府。"看了之后，也切不可便推定虽为总理夫人宋女士的信件，也常在邮局被当局派员所检查。

盖虽"学匪派考古学"，亦当不离于"学"，而以"考古"为限的。

三月四日①夜。

---

① 即 1933 年 3 月 4 日。

花瓶

曹聚仁

女子在"争取经济权即是争取人格"的时期,决不能取退让态度……

谥女职员为"花瓶",当然是一位天才的创作。花瓶云者,只是摆着当样儿,没有实际用处,如女人的耳坠似的东西。咬文嚼字地说来,好像男职员个个都是栋梁之才,而有勇气自己到社会上找饭吃的女子,却没有一个不是摆着做装饰的花瓶似的!

民国初元,革命初成,一班老官僚摸着胡子说:"暴民终不足以言治;见上司不懂规矩,拟条陈不懂格式,临小民没有威严。"于是黎元洪要请饶汉祥做俪骈电文,屈映光要请刘子香写劝进表,革命小伙子被胡子老官僚所嘲笑了。民国九年,文学革命运动,把文言送入茅坑,一班有年纪的书启师爷又摸着胡子说道:"到底不中用呀,'的了吗呢'可以写在公文里吗?美国留学生毕竟要让我们三分,做公文总不能用白话呀!"于是白话小伙子又被胡子师爷所嘲笑了。民国十五年,国民革命军带来了女权空气,使女子在社会上可以找到正当的职业,这一来,嘲笑的口沫又落在她们的头上了。大概也是"见上司不懂规矩,拟条陈不懂格式,临小民没有威严"这些考语,女职员乃得"花瓶"的谥语了。

假如我是女职员，对于这带侮蔑性的"花瓶"谑语，该用足尖来答复的。不过女子在"争取经济权即是争取人格"的时期，决不能取退让态度，应当倒在侮蔑沟中，填没了它，让后来的女性可以平安通过。德国哈耳波伦博士在《异性论》第三章论"女子的社会的位置之发达"说："在许多许多年的黑暗之后，到了希腊的雅典时代，才发现了一点光明，这乃是希腊名妓的兴起。因了她们的精炼优雅的举止，她们的颜色与媚姿，她们不但超越普通的那些外宅，而且远压倒希腊的主妇，所以在短时期中使她们在公私生活上占有极大的势力。这样，欧洲妇女之精神的与艺术的教育因卖淫制度而始建立。赫泰拉的地位可以算是所谓妇女运动的起始。"从这一意义看来，"花瓶"在中国女子经济独立史上自有其不可轻蔑的地位！

　　可是我也并非是花瓶乐观论者，当男职员评头品足之际，女职员赶忙解开手箱拚命照镜，扑粉，抹胭脂，即不禁为之打一寒噤，盖花瓶终是磁制的，一旦被摔，虽请教"江西老表"亦没有办法也。

敬告中国的女子

胡适

中国女界万岁!
中国万岁!!
中国未来的国民万岁!!!

我们中国的人，从前都把那些女人当做男子的玩物一般，只要他容貌标致，装饰奇异，就是好女子。全不晓得叫那些女子读些有用的书，求些有用的学问。那些女子既不读书，自然不懂什么道理，既没有学问，自然凡事都靠了男人，自己一点也不能自立。因为这个缘故，所以我们中国虽有了四万万人，内中那没用的女人倒居了二万万，那些男人赚来的钱，把去养这些女人，都还不够。我们中国如何不穷到这么地步呢？那些女人，既然没有本事，若是他们还读了些书，能够在家中教训儿女，倒也罢了。不料他们听了一句什么"女子无才便是德"的放屁话，什么书也不去读。咳！我们中国的女人，真真是一种的废物了。

我有一句话，要向我们中国的女子说："你们要做一个好好的人呢？还是要做一种没用的废物呢？"我晓得你们一定回答我说："我们又不是发痴，为什么自己要做废物呢？"哈哈！你们要不做废物，却不是嘴边说说就可以做得到的，我如今且说几宗要紧的方法，请你大家听听。

第一样不要缠足，我们中国女子缠足的风气，从来已经长久了。小女子小的时候,便把他双脚缠得紧紧的,后来越缠越小,便成了那三寸金莲尖如菱角的一双小脚。那小时缠足的苦处,我做白话的,说也说不完,好在你们都是受过这种苦处的过来人,也不用我仔细说了。至于你们肯受这种缠足的苦处,倒也有几种说法,有些人说脚缠小了,走起路来,那一种娇娆的模样,甚是好看,所以要缠足的。咳!这些话真是大错,一个好好的人,大模大样地自由行走,何尝不好,为什么反要说那站也站不稳的假样子是好看呢?并且这缠脚的风俗,起于五代的时候,五代以前,唐朝汉朝周朝的女子,都不缠脚,难道这许多朝代,都没有美女么?如今大家都说西施是最标致的美女,那西施是周朝的人,他何尝缠足呢?可见得标致不标致和那缠足不缠足是不相干涉了。又有些人说,脚缠小了,行走不便,可以不会做那些丑事,所以要缠足的。哈哈!这些话更是不通,那些女子若是个个都懂了道理,自然不肯去做那不好的事,譬如古时那曹大家(汉朝的人)、木兰(南北朝的人)、缇萦(汉朝的人),那些贤德女子,那里是缠足呢?再如那当婊子的,他们真是缠足的了,为什么还要做那些无耻的事呢?可见得那缠脚不缠足,和那贤德不贤德更是不相干涉了。照这样看来,那缠足的风俗是没有一点好处,大约你们也都晓得了,如今且让我说几宗缠足的害处,给你们听听:

三寸金莲自古无,观音大士赤双趺。

PART 1 ◇ 角落里的女性 ◇

不知裹足从何起，起自人间贱丈夫。

缠足的害处，也说不尽那么多，现在且说几宗最大的。

第一害身体。一个人对于爷娘生出来的好身体，正该去留心保护他，切莫使他有一点的坏处，这才是正大的道理。为什么反要去把一双好好的脚，包裹得紧紧的，使他坐立不稳血脉不行呢？列位要晓得一个人全靠那周身的血脉流通，方才能够使得身体强壮，那血脉若不行，自然身体一日弱似一日，那气力也便一些都没有了。若是那些身体强壮的，也还可以勉强支持，倘是那些身体素来不大强壮的女子，受了这种苦处，那身体便格外羸弱，到后来生男育女的时候，因为他的身体不好，那乳水便一定不多的，原来人家小孩子的身体气魄，都和他们爷娘的身体气魄很有关系，这些身体软弱的爷娘，怎么还能够养出身体强壮的儿女呢？所以中国人的身体，总和病人一般的，奄奄无生气，难怪外国人都叫我们是病夫国呵！可见得缠足这一件事，是不但有害于自己的身体，而且有害于将来的子孙。咳！可怕呀！

第二做事不便。男子也是一个人，女子也是一个人，然而人家生了男子，便欢天喜地的快活，若是生了女孩，便骂他是赔钱货。咳！你们请想一想，这是为了什么缘故呢？岂不是因为男人将来会做些事业，所以喜欢他吗？

PART 1 ◇ 角落里的女性 ◇

岂不是因为女人不会做事，所以讨厌他吗？列位，请再想一想，男人为什么能够做事？女人为什么不能做呢？列位呵！这个缘故，虽然不止一端，但是照我看起来，缠脚这一件事，恐怕要算是最大的缘故了。做女人的，从小五六岁的时候，就被那些没有人心的爷娘，把他的脚紧紧的包起来了，当那个时候，他们受那种苦处也还受不完，那里还有工夫来学做什么事呢？所以女子在这时候，只晓得缠小脚，并不晓得学别事，小的时候不肯学，到了老大的时候，就是要学也来不及了，何况他们从小因为小脚行走不便懒惰惯了的哩。因为这个缘故，所以中国的女子，几乎没有一个会做事的。咳！外国的女子，也有会做书的，也有会做教习的，都是能够自己过活。即如我们中国古时有个女子叫做木兰，他竟能自己代他的父亲出去打仗，立了大功。又有一个女子，叫做梁夫人，他竟能帮助他的男人，打败了金兀术。那些人和现在中国的女子，同是一样的，为什么那些人就那样有用，现在的女子为什么这样没用呢？这就是因为外国人和古时的人都不缠足，所以能够做这些事业，现在中国的女子都缠了足，所以便不能够去做事。咳！你们对了我们中国的古人和外国的女子，心理也觉得惭愧么？大凡女子缠了脚，不要说这些出兵打仗做书做报的大事情不能去做，就是那些烧茶煮饭缝缝洗洗的小事情也未必人人能做的，咳！这岂不是真正的一种废物么。

缠了小脚，不会做事，你们大约都知道的了。不料这缠足还有一层大害处，因为女子缠了足行走不便，若在平时，也还可以勉强过日子，若是遇了什么祸事，那就更苦了。譬如人家遇了火灾，或是遇了兵乱，那些缠脚女子，一定吃大亏的。就如上月香港有一只轮船叫做汉口，这船忽然起了大火，全船都烧去了，那些搭客，也烧死许多，其中惟有我们中国的缠脚女子，烧死的更多，几乎没有多个逃出来的，这就是缠脚的榜样子。又如数十年前，长毛起兵，那些逃难的女人，总多是因为缠了脚行走不便，被长毛杀了的，于今你们虽不知道，请你们去问问那些老辈，就晓得了。还有明朝末年的时候，有个张献忠，他在四川一带作乱，捉了几十名小脚女子，拿他们的小脚都砍下来，堆成一堆小小的小脚山。他有一个妾的脚，缠得顶小。张献忠就把他砍了下来，做了那小脚山的山顶，把火去烧，叫做点天烛，这都是缠足的好结果呵。

　　以上所说缠足的害处，虽然不十分完全，但是那"缠足是有大害处的"这一句话，大约列位是已经相信的了。如今我且再总结一句，敬告我中国的女子，道："你们若不情愿做废物，一定不可缠足，若缠了足，便是废物中的废物了。"所以这"不要缠脚"一件事，便是"不做废物"的第一层方法了。

附录　天足会放足的法子

　　若是包缠没有长久的，把裹足布解去了，穿上稍大的鞋袜，几日就和从前一般了。若是已经缠小的妇人放足的法子，初放开的时候，每日须用热水洗几次，每次须将足浸得软了，小心把水气揩干，再把那脚趾和脚心折断的地方，轻轻分开，用些棉花破絮塞在那些脚指缝里面，穿上合式的袜子，外面套上一双大些的鞋子，照常在地上行走，到了晚上睡的时候，必须赤足，每次洗过之后，或是早起晚眠的时候，必要自己用手按摩揉搓，数日之后，自然血脉活动，改成大脚了。若是放足的时候，那些脚趾或是脚心的皮肉，有点破烂，那便可以用硼沙水去洗他，就会好的。

　　第二样要读书。列位呀！我们中国不是有一句"女子无才便是德"的古语吗？这句话可不是说女子是不应该有才干的么？为什么我现在倒要女子读书呢？原来那"无才便是德"这句话，是很没有道理的。一个人一定要有才方能做事，无才便是一个废物了。就如汉朝有一位班昭，是最有名的才女，他的哥哥班固，做了一部《汉书》，没有做好就死了，后来班昭竟接续下去做成了这书，又做了一部《女诫》；又有一个女子，叫做缇萦，他的父亲犯了罪，亏得缇萦上了一本奏章救了他；唐朝陈邈的妻子郑氏，著一部《女孝经》；晋朝有一个谢道韫，会做诗赋又会辩驳；这都是有才的女子，难道他们有才便无德么？不过因为后来的女子，把这"才"字看得小了，他们以为会做几句诗，会看几部淫词小说就可以算得才女了，不知这些事不但算不得什么"才"，而且有许多害处（即如看淫词小说便有大害），所以人家要说"女子无才便是德"的话。如今我所说的"才"字，却不是这么说法，请列位听我一一道来。

第一，大凡一个人年小的时候，知识没有充足，心思也没有一定，都是跟好学好跟坏便学坏的，所以小的时候，一定要受过顶好的教育，方才可以做一个完完全全的好人。若是从小受了那些野蛮的教育，到了长大的日子，便自己要学好也来不及了。俗话说得好，"三岁定八十"，那真是不错的呀！外国的小儿，没有进学堂的时候，在家都要受他们父母的教训，这就叫做"家庭教育"。但是做父亲的，总不时时在家，所以这事便是做娘的责任了。我们中国人小的时候，做娘的多不能教训儿子，虽然也有些会教儿子的，但是他们没有读书学问，自然没有见识，所说的不过是那些"做官""中状元""赚钱"的话头，那能够教育什么人才呢？少时既不能教，大的时候还想做一个好人么？这都是因为女子不读书的原故，所以女子一定要读书才能够懂得些正大道理，晓得些普通学问，道理和学问都懂得了，自然能够教出好儿女来。人家都想有好儿女，却不晓得教女子读书，好像农夫不去种田，倒想去收好谷，那能够想得到手呢？列位呀！女子读书，可不是很要紧的吗？

第二，大凡天下女子的心思比男子更细密，又没有那些应酬的劳苦，倘使他们肯用心去求学问，所成就的学问，一定比男子高些。有可以求学问的资格，却自己糟蹋了，就使我们中国人愚到这般地步，岂不可惜吗？

第三，以上所说，多是读书的大用处，如今且说那些小事。就如乡村人家，买两担柴，记几笔账，看几封信，若是男子不在家，妇人不读书，那就不得不去求别人了，岂不是不便吗？这些小事也不会做，那还可以算得一个有用的人吗？真个是我所说的"废物"罢了。咳！读书可不要紧吗？

以上所说，我那"不要缠足""要读书"两件事也说完了，我的笔也枯了，手也疼了，也想赶快把我这篇白话做完结了，所以我如今且总结几句话告诉列位道：汉朝有个蔡邕做了一部《女训》。他说："人的心思，和人的面孔一样，面孔不修饰，就龌龊了，心思不修饰，也就变坏了，人家女子都晓得把面孔装饰得好看，却不晓得修饰他的心思。咳！真是愚得很呀！"列位呀！这《女训》上所说的话，实在不错，现在的女子，只晓得梳头缠足搽胭抹粉，装扮得好看，却不肯把这对镜梳头，忍痛裹足的工夫，用在读书里面,请你想想看不读书怎么能修饰心思呢?这都因为他们不晓得"修饰面孔"和"修饰心思"两件事谁轻谁重的缘故。我如今且说一件故事,就如《三国志》里面的诸葛亮,大约列位都晓得他是极有本事的了,然而他的妻子黄氏,面孔却奇丑无比,像一个夜叉一般,但是他的学问却很好,诸葛亮的本事,大半都是靠他的帮助的,后来诸葛亮出兵在外,他能教训他的儿子诸葛瞻也成了一个忠臣,可见得面貌好丑,是最不要紧的,只是学问却是不可少的。今日我们中国的女子,为什么情愿费了许多工夫,丢了最要紧的学问不去做,却要去做这些梳头缠足穿耳搽粉的事呢?可不是那《女训》上说的愚人么?可不是我从前所说的废物么?所以我说中国的女子,若不情愿做废物,第一样便不要缠脚,第二样便要读书。若能照这两件事行去,我做报的人,便拍手大叫着:"中国女界万岁!中国万岁!!中国未来的国民万岁!!!"再不絮絮烦烦的来说这些白话了。哈哈!

附:蔡邕《女训篇》

心犹首面也,是以甚致饰焉。面一旦不修,则尘垢秽之;心一日不思善,则邪恶入之。咸知饰其面而不修其心,惑矣!夫面之不饰,愚者谓之丑;心之不修,贤者谓之恶。愚者谓之丑,犹可;贤者谓之恶,将何容焉!故揽照拭面则思其心之洁也,傅粉则思其心之和也,加粉则思其心之鲜也，泽发则思其心之润也，用栉则思其心之理也，正髻则思其心之正也，摄发则思其心之整也。

（本文原载1906年11月16日至12月6日《竞业旬报》第3至5期）

PART 2

也是人，也是女人

女性独立与男女平等

李银河

在我看来,
中国真正实现男女平等,
中国妇女真正地解放,
还是在新中国成立之后。

我来给大家讲一讲①女性独立与男女平等的话题。我会讲到历史上女性独立的发展过程，会涉及一些妇女运动先驱人物及她们的故事，还会结合我自己的亲身经历，讲一讲女性要想保持独立，应该怎么做。

首先讲一下近现代女性争取独立的历史。世界上所有的传统社会都是男权社会，中国传统时代的女德是三从四德，中国的女性独立运动是19世纪末才开始出现的。当时康有为、梁启超这些维新人士，已经自觉地把女性的解放看成是维新变法的一个组成部分。到了辛亥革命以后，以孙中山为首的革命党人也开始提出女性解放的问题，就是禁缠足、兴女学、办女报，让女性从家庭走向社会。这是中国妇女运动的序幕。

中国的女性解放实际上是从反缠足运动开始的。历史上有一段佳话，就是廖仲恺的父亲有一次到国外去，经历了旅美华侨遭受的歧视，感觉到小脚女人是中国的耻辱，然后他就留下了一个遗言，我的儿子必须讨个大脚的女人

---

① 本文系李银河2019年1月在喜马拉雅FM所作的一堂讲座的文稿。

做媳妇。可是那个时代不缠足的大家闺秀是非常难找的。结果当时正好有一位何香凝，她就是一位有天足的新女性，她和廖仲恺结合之后，人们把他们的结合叫作"天足缘"，他们是因为天足结的缘，留下了这段佳话。

清政府被推翻以后，"天足运动"快速发展。1912年3月，当时的临时大总统孙中山颁发了禁止缠足的政令。虽然政局多变，但是反对缠足的运动从来没有停止过。

双足被解放以后，中国女性开始要求享有受教育的权利。民国之初，孙中山提出占中国总人口一半的女子的教育一直是被忽视的。他的原话是："直至清末，女子识字者百中无一。"就是一百个女人中连一个认字的都找不到。他指示教育部规定初等小学鼓励女孩上学，大力发展女子教育。辛亥革命爆发九年之后，中国才终于实现了大中小学生的全面男女同校。

辛亥革命时期，涌现出很多革命新女性，她们成为女性运动的急先锋。中国女性运动的首创者之一就是秋瑾。她当时创办了《中国女报》。我认为秋瑾是中国第一位现代女性，因为她是中国最早提出男女平等的女性之一。她主张妇女解放，带着学生骑马，有的时候着男装，这些都不是那个年代的女性会做的事。

当时几乎各地都有女子军事组织，包括"女子北伐队"。章太炎的夫人，上海务本女校校花汤国梨，就是女子北伐队的成员，她在二十三岁时谢绝媒妁，独闯上海求学，又在上海组织了女子北伐队，还参与创办了神州女校和《神州女报》。汤国梨最早发出了女性参政的呼声。当时女子参政运动的激烈程度不难想象。激进人物沈佩贞竟然鼓吹女子参政目的一日不达，未结婚的女子十年内不得与男子结婚。这样的口号当然是非常激烈、非常极端的。1912年8月，另一位激进女性唐群英为了争取女性的参政权，一怒之下竟然打了革命党领袖之一宋教仁一记耳光。这些都是妇女争取解放、平等权利的先锋们的传奇故事。

在我看来，中国真正实现男女平等，中国妇女真正地解放，还是在新中国成立之后。从20世纪50年代开始，所有的妇女都参加了社会生产劳动，有了独立的收入，这才是全国范围内大规模男女平等运动的开始，从此开启了女性平权运动崭新的一页。

前不久，美国《财富》杂志公布了最有影响力的商界女性，上榜的五十名女性当中，十四名来自中国，这是相当惊人和了不起的。特别是在中小企业当中，女性领导人纷纷涌现。这表明，半个世纪以来中国女性追求的男女平等事业的目标正在逐步实现，我们可以看到在社会生活的各个领域，女性从业者和成功者的比例也在逐步接近男性，这些都是令人感到欢欣鼓舞的。

这不仅是因为女性特别地勤奋努力,还有一个有利于女性发展的时代特征,当今世界已经从比拼体力的时代转化到脑力劳动时代。尽管女性与男性相比,在体力上还是处于下风,但是在脑力上就不一定了。女性可以发挥出自己的优势,缔造社会结构中两性关系的新格局。

整体看来,虽然女性在经济领域中取得了一些进步,但是在参政方面还需要进一步加强。例如在人大代表中,女性比例一直是大大低于男性的。六七十年来始终保持在20%上下,而且还是在保障配额的情况下。一旦撒开了选,没有保护性名额,可能会下降到20%以下。现在,全国妇联提出要争取30%的配额。男女要真正实现平等,应当是在政治、经济、文化各个领域都与男性取得平等的地位。

根据一套测评妇女地位的指标评估,我国在100多个国家中排在第28位。主要的度量指标有四个:第一,女性在议会席位中所占的比例;第二,女性在行政管理人员中所占的比例;第三,女性在职业技术人员中所占的比例;第四,女性收入在男女总收入中所占的比例。评估结果表明,女性在议会席位、行政管理和总收入中所占比例这三项的世界先进水平都在40%以上,而专业技术人员比例这一项的世界最高水平为64%。相比之下,我国在女性专业技术人员比例（45%）和女性收入占总收入比例（38%）这两项上，接近世界先进水平；在女性议会席位比例（21%）这一指标上处于中等水平；最差的是女性行政管理人员比例（不到12%）。

中国的男女平等事业应当说已取得了不俗的成绩，但是用得上革命领袖孙中山的一句话：革命尚未成功，同志仍须努力。让我们中国的女性与男性携起手来，继续赶超世界先进水平。男女平等的事业在中国尤其重要，原因还在于我国曾经是一个最传统、最典型、发展时间最长、发展程度最高的男权制（父权制）国家。中国女性的解放因此在世界上备受瞩目。因为我们的进步不仅具有改善自身处境的意义，还对全世界的妇女具有榜样的意义，它向全世界妇女表明，在一个男女曾经最不平等的国度，经过努力，男女平等事业能够达到什么样的高度。

"女子成美会"希望于妇女

庐隐

为什么妇女本身的问题，
要妇女以外的人来解决？
妇女本身所受的苦痛，
为什么妇女本身反不觉得呢？

前几天我在《晨报》上看见郭君梦良的一评《"妇女解放"一国救急方法》的文，就是组织"女子成美会"。这个会的宗旨，是使一般有觉悟而没有能力解放的妇女，达到她们解放的目的。我看完这篇文章，心里忽然发生一个疑问：为什么妇女本身的问题，要妇女以外的人来解决？妇女本身所受的苦痛，为什么妇女本身反不觉得呢？妇女也有头脑，也有四肢五官，为什么没有感觉？样样事情都要男子主使提携。这真不可思议了！

妇女解放的声浪，一天高似一天，但是妇女解放的事实，大半都是失败，这是什么缘故呢？这是因为妇女本身没有觉悟，所以经不起磨折，终至于失败。妇女本身没有觉悟，所以关系本身的问题，不能去解决。而想求那利害关系次一层的男子代为解决，这也是失败的一个原因。因为现在觉悟的男子，固然很多，然而迷梦不醒的，和那利用妇女解放"冠冕堂皇"名目，施行阴险狡诈伎俩的也不少。妇女本身若不觉悟，只管盲从，不但不能达到解放的目的，而且妇女解放的前途，生无限的阻碍。故我以为妇女解放问题，一定要妇女本身解决。但是解放二字是空洞的，必定要想出具体方法，使解放的理论，进到解放的事实。这个方法也很多：就譬如建设女子职业机关、女子工厂、工读互助团等等，本都是可以帮助妇女解放的具体办法。但是这些办法，都是第二步，因为妇女要作职业，必定先要各种职业的知识；要进工厂，也要有工厂的知识；就是工读互助团，也要有点普通知识；这种知识缺乏，就不能达到以上种种目的。所以我们现在要打算作一个过渡，使这一般有觉悟没有能力的女子渡过去，这渡船就是郭君梦良所说的"女子成美会"的组织，这种组织愈多愈好，因是可以救济我们女同胞"出水火登衽席"，这是与妇女有密切关系的；并且我们要想尊重自己的人格，断不可事事盲从他人。所以我盼望我亲爱的女同胞，快快起来，解决自身的问题，这是我对于"女子成美会"有厚望于诸姑姊妹们的！

九、二、十五①

---

① "民国九年二月十五日"的缩写，即 1920 年 2 月 15 日。

论女子留学的必要

袁昌英

人类的生活和幸福,

本是由男女互助而来的,

文化的进行,

本是由男女协力而成的。

我未到欧洲读书以前，日夜所梦想的是出洋。但是为什么要出洋求读书，到外洋来读书有什么好处，那时候我觉没有一个明确的观念。我想，我国多数男女学生起初要出洋的时候，也都是这种心理。现在到了欧洲四年之后，默坐返省，觉得这两个问题确有说明的必要。至于中国女子到英国读书的情形，容后再说。

我们中国的女子为什么要来外国读书，可以分为三项讨论之：

（一）人类社会本是由男女两性互助而成的。在社会生活上，精神生活上及文化进行上，那处不要男女的互助？假设地球上一旦没有女子，人类就要即时绝灭的。假若于人类文化进行之中，社会维新的时代，只有男性一方面前进，让女子迟迟于后，试问人类的文化能够进行到若何田地？社会的改良能够到若何田地？我想，有常识的人决不会说错的。但是我们中国人现在觉得西洋的文化可学，就竭力送男学生来欧洲读书，即如英国留学生已达五六百人，而女生不到十人，法国留学生已有千余人，而女子则不过十余人，这是一个可喜而又同时可慨的现象。可喜的是我们父老知道西洋的文化不可不学，所以送了许多男生来；可慨的是他们仍然只知道这个真实意义的一半，所以对于女生出洋求学毫不注意。

照前面所说的，人类的生活和幸福，本是由男女互助而来的，文化的进行，本是由男女协力而成的。我们想加入世界文化的大战场，第一，要输入西洋已有的文化，然后再用我们的智慧去发明新理。这种责任全在有志的青年男女学生，所以只造就男生而不造就女生，是没有大益的。男子所学的是男子分内的事，至于女子分内的事，他们是不知道如何去学的。第二，现在国人已渐渐的明白，想把男女联合起来，把所有不美，不卫生，不合人道的旧习惯抛了。这并不是说男女应去做同一样的事情，是叫男女各尽其力，为社会谋进步，为人类谋幸福。所以在女子自己，也觉得要做一点事，才可以对得起社会，才可以算是人。这种话未免与我的题目相差渐远了；我也不再说下去了。

（二）人类之中，男女两性虽然是互助而生的，但不是同性而生的。男子所善做的事，譬如用大力，运重器，采矿冶金等事，女子是难于效颦的。纵令可以勉强去做，也不能胜似男子。但是世上有许多事，女子要比男子做得好些，譬如教育儿童、料理家政，及社会上一般慈善事业、文化事业、交际事业，以至于女子自身解放诸问题，都是女子所应做而又善于做的。像这样的紧急问题，中国不知有多少，不让女子去预备，去发展她们的本能，反用男子去胡乱的代她们解决，岂是合理的事？我觉得有许多在西洋留过学的男学生观察得西洋社会的好处，想把它输入中国，但是他到了中国后，左顾右盼，没有一个人帮助他。他想从家庭改革下手，他的妻室姊妹，纵令愿意，也不晓得怎样做法。所以试验一两天后，非把那个主意抛了不可。假若这个人有一个妻室或姊妹和他有同样的智识意志，那么，那个主意虽不见得容易实行，也不至于完全失败了。

（三）第三个答案也是我们不可不注意的一件事。我想，这个答案有人要起来反对的，然而也不要紧。我们讨论一个问题，不妨就正反两面竭力发挥，不必拘定成见，人的天性，是男女互相恋爱的。一群女子和一群男子终年间各别的住下，毫不相见，不特他们的生活觉得干燥无味，就是性情意志也是大有妨碍的。女子的性情本是柔的，如果没有强健的感化力去激励她们，她们将成为一班畏葸无用的人了。男子的性情意志本是刚强的，如果没有柔和的感化力去缓和他们的本性，他们就易流于横蛮不守法，或流于烦闷、抑郁、无生气。所以正当合法的男女间的交际，是非常有益的事。

我们中国未娶亲的青年男学生现在已经很多。假若没有同国的女生去和他们来往，结果难免不和西洋女子结婚。然而西洋女子有教育身分的大半不肯嫁给中国人；肯嫁给中国人的，实在是配不上我们的青年优秀学生。况且多一个中国学生娶西洋女子，也可说是我们中国女子多失了一个嫁优秀青年的机会。反对的或者要说，中国的好学生不娶西妇，这句话也有几分真理，但是我亲眼看见有许多很好很有学问的学生也不免走到那一条路上去。如果这事成了一个风气，（现在英国学生中几乎有这个风气）是与中国社会前途不无妨碍的。对于国际通婚的利害，暂且不论。听得我们政府有不准留学生娶外国女子的话，这事有理与否，我也不说。但是我要问，如果他们只送男学生来外国，这种命令能够实行吗？与其让我们的青年学生有苟且不正的行为，还不如让他们娶外国女子为妙，因为娶外国女子虽然有种种不方便，不利益的地方，还没有那样苟且行为的损害。

以上所说的，都是对于男子着想。就是对于女子自身，我们也有正当不可拒绝的要求。我们也是像男子一样的有手、有脚、有灵感、有意志。我们的父老为什么不给我们一个机会来发展我们的天赋才能？我们父老为什么厚于男子而薄于女子呢？俗语说得好，"手掌也是肉，手背也是肉"，请父老先从此以后，放公道些，放人道些来待我们吧！我们的身体既不如男子的强健，又加以教育不平等，那么，像西洋那样差不多已经完备的男女平权是永无实现于东方的一日！所以东方想追到西洋文化的进行，男女平等教育是一个最重要的方法呵！

对于我们女子为什么要来西洋读书的三个答案已经讨论完了。以外或有遗漏的地方，我此刻想不到，也不多说了。现在要去讨论到西洋读书有什么好处。

第一，到西洋读书，可得一种活泼精神，一种合法合理的自由和独立精神。中国的女学生对于自由、平等、独立等字样，是很熟悉的。但是怎样叫做自由、平等、独立，其中所含蓄的精神，觉未必有十分的研究。这种精神到底如何，这篇文字上是不能讨论的。但是这样的精神是很要紧的。并且非亲眼观察，是难得其真相的。数千年间，中国女子关在闺房之内，不准出门，现在忽然开放，行为自然难得其中。大半都是对两头走：有的说，我们现在是自由，有什么事不可做？所以他们万事都要来试一试，到了末了，或不能收拾，以至于身败名裂。有的还把旧日做小姐的习惯拿起来，万事都不敢做，万事非倚赖他人不可。这样过于岌岌不正当的自由和这样腐败不堪的守旧，都是我们新中国所不要的状态。我们所要的是一班稳健的女子去改造女子社会。这样合中的德行，这样健康的活动，非到这个文明的境地亲身考察是很难得到的。

□□□□□□□□□□（注：此处文字缺漏）（hand knowledge）世间无论何种学问，总是直接的学来比间接的学来为贵。现在中国有许多书是由日本文译来的；日本书又是由西洋书译来的。这样间接传来的东西，错误蒙混不知多少。所以我们如果能够到西洋直接去学，再拿回来实用，就比较的确实了。

第三，我们对于西洋的书上知识（Book knowledge）固然不可忽略，但是实地应用的知识更是要紧。我们在书上领会得，他们的政治教育怎样的进步，他们的实业怎样的发展，他们的社会生活怎样的复杂，他们的文学美术怎样的兴盛。如果在书上学得以后，再有直接的经验，就不至于隔靴搔痒。

现在我且把留英的中国女生生活稍为描写，对于有志来英诸君或者不无裨益。

（一）费用　此处我只可以用英国钱说明，因为汇兑时有变迁，不能确定。现在由上海到伦敦的船赁大约头等在百镑以上，二等也在五六十镑以上。学生旅行最好的是二等。一等则非有晚礼服不可，并且酒钱及其他费用都要贵些。三等于女子似不相宜，没有特别睡房，诸事均欠方便，所以非万不得已的时候，总以不坐三等为妙。到了英国后，房食费每月约需八九镑。外省地方比伦敦稍为便宜。衣服费纯在各人自己的节俭。关于此事，下条将再说明。然而一般的计算，大约初到英国的人，总要三四十镑钱制衣服。照现在英国的生活情形而论，一个女学生每年所费大约二百镑够了。

□□□□□□□□□□（注：此处文字缺漏）的外国样子才好。这是很错误的。我们固然有许多习惯非改不可，但是也不必太过。我们的日常生活也有好处，不必一概抛弃。譬如穿衣服，不独中国材料，例如丝货，比外国的便宜些而且很好，就是中国衣服的样子未必过不去。如果我们整日的把裙子穿起来，并不是不好看。所以留学的时候，出门去，虽还是穿外国衣的方便，在家中，不妨穿着中国衣裙。我听得有许多留美女学生平常大半是穿中国衣裙的。就是留英的学生现在也有这样的。所以来此留学的女子能够把家里已经有衣服带来，就可以省得一笔巨款咧！外国衣服现在真是伸不得手，一伸手就是几十镑。一套裙子和上衣，总要十四五镑才买得到！所以我劝有意来外国的姐妹们，多带些中国材料来。无论做成了衣服，或是未做成，都是可以的。

　　在英国读书比在法国有一件好处，这就是在英国我们可以住在中等或劳动的人家，在他家里住了，就可以观察他们的家庭习惯，和社会上的交际情形。每家有每家的小小规矩，我们照礼貌住去，并没有什么很苦的事体。

　　外国人没有一天到晚坐在家里的。我们没有事体的时候，最好是出外散步。一者于健康上有益，二者终日在家，精神疲倦，不能切实用功。三者主人要收拾房间，在家不方便。四者到乡间散步，空气新鲜，风景美丽，也是最可乐的一件事。

（三）学业　　这条是很要紧的。我们到这样远的地方来，都是为学问起见。我们要利用最短的时间去求最多最高的学问。所以耗费时间这件事，是学生的莫大罪孽。在英国的各省大学中，假若我们有大学或中学的毕业文凭，入学时可以免考。如果没有文凭或是英文不好的，在外面预备一两年也就可以考进大学。来外国读书不入大学，是没有什么意思的。大学以下的学问，于解决大问题的时候，仍是没有益处。我们进大学，并不是要得它的一个学位，是要得它们的学问。在大学里面做切实的功夫固是最要紧的一件事，但是社会交际上也是最好的一个大学堂。在那里面我们可以学得许多东西。这些东西大半是书上所说不到的。所以我们还是要多与外国人交际才好。大学里面常有种种的学会。最好是投入一二个这样的会，一则可以观察他们的气质，二则可以学他们的组织，三则可以交几个有益的朋友，四则可以借这样的机关来消遣。并且我们也可以表示我们的才能；可以把中国的好处讲给他们听听，藉作一种国民运动。

（四）有益的国民运动　　我们到外国来固然是为读书起见，但是不可把祖国的生命忘记了。如果我们的国家消灭，我们求了学问又有什么益处呢？又有什么地方去实用我们所学的呢？国际主义、人道主义，都是我们所应当注意的，但是没有国，又何有国际呢？没有四万万同胞生命在心里，我们还讲什么人道？爱国即是爱世界，爱我们的同胞就是爱人类，所以我们对于国家的安危问题，虽在外国，还是非注意不可。现在留英学生的国民运动颇有精神，这确是一个好现象。我们希望后来的女生对于这事也要分一点心思。

民国九年①七月二十三日草于巴黎

---

① 即1920年。

中国的妇女运动问题

庐隐

我们所争的,只是同此头颅的人类平等,
并不是两性的对敌,
事实上两性在世界是相互而生存的,
若故为偏激之论,两性中间树起旗帜,
互相战斗……
不独无意义,而且是大误谬了。

无论何种运动，若不是由真实觉悟，兼有十三分信念而起的，都不外虚应故事，非但绝无成效，便是这运动的本身，也没有多少价值。

说到妇女运动，在现代已成了极流行的一种运动，便是我们沉寂退后的中国妇女，也都当仁不让；努力于这运动的，颇不乏人，在表面上，似乎已有多少成效；——湖南前此居然也有妇女被选权，——其结果固不可问，而这一闪的光焰，亦足以自豪了。但这种事实，细想起来，不免使人惊异成功之速；我们翻开欧美妇女运动史来看，无论英、德、法、美，那一国的妇女运动，不是受尽千辛万苦，最后若不是得到多少机会，——如此次大战之类——使得发展，才能为国家效力，一定还不能达到成功的结果，反看中国妇女运动，如是容易见效，岂不是骇人听闻的事吗？

欧美妇女运动，以法国为发祥地。至其发起的动机，固然很复杂，但第一不可缺的原动力，便是天赋人权的学说之影响，而骨子里自然又是妇女自身的觉悟，——受一种实际上的压迫而起的觉悟；于是她们开始发现她们所处的地位，是在人类线之下，阴湿卑贱的地狱里，这种地位引起她们不满足的心,因此而生一种希冀光明的热忱,然后聚精会神,打算从地狱里挣扎起来,这便是妇女运动之起因了。

但她们早为什么不觉得难堪?必到最近才发见自己之地位的不满足呢?父系制度,自有史以来,垄断了几千年的社会,为什么到现代才有妇女运动之事实呢?这促醒她们的沉梦,而即于觉悟之途的,到底是什么东西的力量?所谓实际上的压迫又是什么呢?

未曾答复上项诸疑问以前,我们先研究原始妇女地位,到底怎样,这种被压服的女性,是否由盘古辟天地以来就是这样,及其后来所以被压服的原因。此一项有了解决,则以上的种种疑问,便都可迎刃而解了。

人类原始的状态,据生物学家之研究,生命本来起于女性,生殖作用最初也只由女子经营,男性是在与异种文明接触而发生种族进化的必要上,发生成长的。宇宙万物,都以女性为根据为中心,证之于下等动物如昆虫类等少数例外外,多表示女性优于男性的一点,可得而知了。至于鸟类、哺乳类,固然是男性多强大美丽,但那强大和美丽,也不是男性原有的,是为受女性的选择,为迎合女性的趣味而发达出来的,这是一切生物界的女性中心的事实的证据。至于人呢?照现在的情形看起来,男子之实力权势兼优,为人生之独裁君主,女子要以压制自己的意志和欲望等为美德,唯命是听,事事受男子的指使了。

但只要我们相信人类之起源,我们祖先曾经经历过女性中心这个事实,我们便不能不问现在的女性何以会倒霉到这步田地呢?并且是从什么时候倒霉起的呢?这一层对于现代的妇女运动,大有密切的关系,并且是妇女运动最大的立足点,不容漠视的呵!

最初社会的状态,我们可看乌德、巴火防、莫尔干他们诸人的学说:他们所主张群的起源,他们认女性太初的优胜,实支配一切的男性。最初人类群成小群以栖息,所谓"图腾"时代,两性间的关系,没有什么限制,当时男性虽因动物时代的余泽,比女性强大美丽,但这些长处,都不过是为蒙女性之爱,受女性之选择,所必须而且有利的特长,决没有用来作为征服女性的武器,与动物时代一样。雌雄淘汰的实权,握在女子手中,男性无论什么女性,都肯交合,而女性则除了适于自己趣味性的男子之外,一概不许接近,男性纵是被女性摈斥,也不想用暴力来作报复,或强制女性服从,只将其愤怒嫉忌转到同性的方面来自家争斗。

此外留威斯·莫尔干对于女性中心的事实,又发明最新科学的研究,他曾介绍伊洛瓜族的生活道:

"在伊洛瓜族印度人里面，拥戴共同女祖先的母系家族团体，组成一户，那个家族由最年长的老婆婆支配，这样家族多数相集而成一氏。

"他们至十九世纪初期，所住的房子，是自十五英尺，至一百英尺长，以圆杆为架子，以树皮为盖蔽的长大连房，这房子中间是走路。两旁是收容一家族、一家族的房间，走路的两端是门扉，走路上通例对于四个家族有一个暖炉，但没有烟囱。

"各连房在其内部营共产的生活，由游猎以及农作得来的生产物，是共同的所有，各连房都在总揽家内的老婆婆监督之下，每天的饭食都在暖炉治理。治理之后，就请女家长来分配，其残余的食品，由别的妇女收管，分配食品一天只有一回，但锅是一天到晚放在火上的，肚子饿了的，不管是属于那一连房者，都有取下锅子来，以之果腹的权利。"

再看他们的政治组织：一种族由氏族而成，氏族由数个氏而成，其种族的单位就是氏，各氏由大酋长和普通酋长两种酋长统率，大酋长是氏之公式的元首，由成年的男女公选。各女家长都有选派代表到种族会议，决定宣战媾和的权利。

至于承继权，也是归于女子，所以女子有经济的独立。离婚权亦操于女子手中，子女都属于母之氏，结婚是男子到女家，若女子不高兴这男子时便可逐出，——男子到女家的残痕，可于中国招赘式的婚姻见之。

当这个时代，女子的权力，大到极点，推其原因，不外经济权操于女子之手的缘故，因为最初社会生活，是男子出外游猎，女子在家耕织，游猎是日无定所，得无定额，有时游猎无所得，就不能不回来求食于女子，女子以坐享耕织之利之故，生活非常安定，经济权在握，男子势必受其支配。

但母系制度的运命，不久因生产方法的变更而破灭，破灭之余，父系制度就应运而生了。从前男子为获得生活资料之手段的渔猎，渐次减少其必要，而渐次移到耕种方面，最后他们简直驱逐女子实行独占了。他们的地位就陡然加重了。同时女子因育儿及家事等限制，其能力与地位也渐次低下了。

当母系制度的时候，生活是共同的，财产是共有的，到了父系制度，因生产方法的变易为开发财富的结果而发生战争，共产遂一变而为私产制，于是男子经济权更扩大，于是阶级生出来了，有所谓贫富之别，有所谓主人奴隶之分，不走运的妇女，遂由主人公的地位，一跌而成男子的所有品与奴隶地位了。

其后因生产工具发达，而发生财富的增加，使直接参与生产或获得其结果的男子地位增高了，又因财产私有的结果，由要让于我之子的希望，就男系统代替了女系系统，母系制度因而根本动摇，女子遂由喜马拉雅高峰而跌到九幽十八层地狱里了。什么贞操啦，三从四德啦，七出啦，种种片面的道德说也发生了。于是婚姻不能自由，经济不能独立，政治不准干预，职业加以垄断，简直摈之于奴隶不与同人类了。压服得妇女们背驼腰酸，不见天日，不知若干年了，直到现代，才听见呻吟之声，妇女们才觉得一向是睡在幽狱里的，这才想抬起头来。

而那些夜郎自大惯的男子们，竟忘了自己本来面目，忘记了人类社会之真相，妄作威福，拼命的压服女子们，虽然看见她们在幽狱里拼命的挣扎也决不生一点可怜的同情心，只是冷笑热嘲道："你们这一群弱者，究竟有什么能力？你们除了做男子发泄兽欲的工具，和制造新生命的机器外，没有更体面可做的事情了。你们要依赖男子们生活，你们就不能不服从男子，男子们为了家，往往将薪水的大部分拿回来，供给用度，这是多么大的恩惠，不也是妻子们应当服从和感激他们的吗？"

其实大部分的妇女，把自己的身心，为丈夫和子女完全消耗了，这一点点物质的报酬算得了什么？而况在家庭制度没有破灭的社会之下，本应有一部分的人，分担家政，而后那一部分的人，才有余暇做社会上一切的事业，女子为他们分了担子的一半，这极大的功劳，足以自傲，她们竟忘了，只知道嘴里吃的是丈夫给的饭，身上穿的是丈夫给的衣服，因感激丈夫的恩惠，而屈服于丈夫威权之下，不但捐弃自己的意志自由，而且苦恼交困，也认为当然的——由这一点的误解，不晓得阻止了社会文明的进步到什么程度！直到现代受产业革命的影响，生活的压迫，妇女免不得也要走到社会上，和社会发生直接关系，而社会上那些冷面狠心的男子，又无处不用其欺凌的手段。妇女受到切肤之痛，所以一听到圣西门、佛利亚、乔治、山德这一般人之民权论的福音，触机而发，于是妇女运动遂与法国的革命同时而起了。

我们推论到此，可以知道妇女之所占得优胜的地位，是因经济之权在握，其后所以倒霉也是因为经济权被人掠夺了，现代所以发生妇女运动，经济变动，又是极大的原因。

因产业革命之后，机械发达的结果，给予女子两重影响：第一，因为把手工业移到大计划的机械工业了，就把女子的事务减少，使她们生了余裕，除了家事外，更兼顾到社会上一切事。第二，因机械的发达，使富者更富，贫者更贫，不问男女，使一切无财产者，都汲汲于糊口之途。

　　家庭少了许多纷繁的事，其结果同时对于女子又失了保障确实的安全生活。从前的女子只要安安稳稳坐在织布机旁，总有饭吃，总有衣穿；到了后来，家里的织布机为工厂大机器所打倒，而男人们所得的，又只敷一口之用，生活艰难，势不能兼顾，于是有嗷嗷待哺之忧，作到结果，妇女们也难怕抛头露面之羞，到社会上与男子抢饭碗了。因此对于更好的教育，更广的活动范围，同一劳动的同额报酬等等的要求，所谓女性运动，男女平等的要求就发生了。

　　所以资本主义发达的国家，妇女运动也越激急，也越有组织性和团结力。新女子的活动，可以说是资本主义之下必有的现象。因非在此种环境之下，财富不致集中，小资本的生意仍可存在，人们的生活不致如何艰难，女子既可坐仰父兄丈夫之鼻息，又有家庭琐事之足以羁縻，她们无余裕想别的事，也没苦痛来刺激她们，这些法律的具文的不平等，她们决不想是有什么害于她们的，于是也绝不肯拼命来争了。所以资本主义固然是不利于社会的，而一样有促醒一般沉梦者的觉悟的功，也是不容抹煞的。

　　因为凡倡一种运动，能真实觉悟，而有十三分信念的人，必定是曾经风波，尝受过苦况的人，例如英国首先反抗女子以懦弱取悦男子论调的米利·俄尔斯通·克拉夫特女史（一七五七——一七九七），她的身世——是生于中流最低阶级，长于好酒而冷酷的父亲，和懦弱无能的母亲庇护之下，又是无独立心的弟妹所组成富于波澜的家庭里，备尝了辛酸，饱受了女子无智屈从男子专权恶弊的苦痛，一面为当时法国大革命的波动，天赋人权的思想，与米利女史实际生活的经验相结合，就使她确信了两性平等，和妇女改造的必要，于是起而倡"女权拥护论"。又如社会主义的始祖欧文，他所以能与工人始终表极热烈的同情，肯牺牲他巨资而与工人同甘苦，其原因也因他自身最初也当过雇佣，尝过工人的味道，所以才能一发愿心，渡此可怜同病的众生。

由此我们可以明白，欧洲各国妇女运动之所以能再接再厉的原因，不外她们真实感到男女不平等的苦味，及确信妇女运动的真理，有十三分的信心，所以她们的运动才能成功，她们的运动才有价值。

至于中国社会的状况，什么事都是笼络的，显明的限制很少，妇女们所受生活上的压迫也不如欧美，所以中国的妇女运动，由一般的观察，我们敢断定绝不是真实的觉悟和有十三分的信心而后发生的，只是人人都有我羞独无的思想，于是凑热闹，也不免依样葫芦画他一画，但因无信念和确实的经验，究竟支撑不久，而且事此运动的一部分人中，难免有借题发挥，以快其出风头之初心的，所以民国初建之时，唐群瑛、沈佩贞之流，因女子参政运动也不知演出多少笑话，倒运的宋教仁听说还吃了沈佩贞两个大耳光子呢！闹得落花流水，一无结果，便尔遁迹销声，徒落笑柄罢了，有什么成绩可说；因之束身自好的妇女都羞说"参政"二字，从此沉寂了好几年；继起的虽有湖南广东两省妇女为种种运动，但势力都欠雄厚，且是面部的，其旗帜也不彰明；直到五四运动，中国思想界大开新生面，妇女运动也渐次高其声浪，北京有妇女参政运动会，及女权运动协会等成立，但其中主坚分子，多半系血气未定之青年学生，不但不能有团结的组织，而且不免被人利用。当女性运动会成立的时候曾在北京女高师摄影，其中男子差不多要占三分之二，女子不过三分之一，这种情形实在使人惊异，岂是中国男子，特别宽宏大量吗？不与女子对敌，反与女子表十三分的同情，如果此情属实，女子也可以不必运动了。

当他们站在一部分女子身后，赞助女性运动时，恐怕是醉翁之意不在酒吧！并且老实说起来，中国现在的一团糟，做什么的不像什么，——所谓根本问题尚不曾解决，纵是容许了女子参政，究竟做得出什么事来？再说法律无非是由社会上实际事实的表现，绝不是张三的帽子李四戴，随随便便东涂西抹所能合用的，欧美的妇女有实力，事实上她能做一切男人所做的事，那末结果法律的条文自然也得容许她们做一切的事了。譬如英国妇女运动开幕于一八一九年，直到一九一八年才告成功。其间整整一世纪，她们的努力如何？她们的毅力又如何？她们若不是在大战时援助政府有功，她们选举权如何拿得到？我们中国妇女在社会上做过什么事情？在什么地方表示过自己的有能力？根本的问题都不想解决，偏喜欢唱阳春白雪之辞，难怪和者寡了。

拿我们妇女运动过去的事实，和人家欧美对照看，我们简直是要猴戏，模仿人家的样子，耍耍罢了。——其实中国的事情，那一件不是要猴戏，又何独责于妇女运动，其原因不外没有受够苦，仍旧得过且过的主意，非等到不能过了，总是不肯早为之的呵！

虽然我对于中国妇女运动的过去，不免抱悲观，觉得一点成效都没有——这或者有一部分，要责备我说"你这话说得太灭自家威风，长他人志气了，你看现在各大学都开放了女禁，这不是女子运动的效果吗？"不错！现在各大学诚然开了女禁，但我们平心静气想一想，这些教育当局，他们所以肯答应各校开放女禁，与其说是妇女运动之力，何如说为面子好看，人家都开放，我们不妨也点缀点缀的为真实些呢？——不过从前的不满意，无论达到什么程度，而后此的希望，犹方兴未艾，我们妇女们应当撇去浮面——风头上的事，而用一番切实的工夫，替沉沦已久的妇女开光明之路。

但妇女问题我以为绝不是社会上单独的问题,若果这社会是健全的状态,妇女问题简直不成其为问题;若果这社会是病的状态,我们单抱住妇女问题死咬,也不见得是根本的解决,便是得了参政权,也一样的抬不起头来。为今之计,我们只有向那最根本的社会问题上努力,然后我们妇女才有真正解放的时候,社会才有好现象。

这根本的问题到底是什么?解决了这个问题,我们妇女便可以解放?社会文明便可以进步?

现在社会上最使人看不过去的是什么?最不近人的生活的是贫民阶级的生活!以我观察,以为现在社会上最看不过的事情,便是唯利是图的资本家以榨取劳工们的血汗,以快其利欲的私心。那最不近人的生活的阶级,便是劳动阶级,他们得食之难,真堪使人酸鼻痛心,而其中尤以妇女为可怜,因为她们劳动的结果,用血汗不减于男子劳工,而所得的报酬,又往往低于男子劳工。此外她们还有比男工可怜的地方,一方面为谋食而进工厂,供资本家的榨取,一方面又要兼顾育儿。据某丝厂厂主的报告,丝厂里女工的生活,其干燥和不安定,真使人不忍卒听。她们从晨曦隐约中,就得拼命往工厂跑,厂里的规矩,每天六点钟开厂,开厂时例须摇铃,工人们都在铃声嘡嘡中,蜂拥进厂,如果摇过铃再来，虽不过差几分钟，但已经要吃闭门羹了，这一天的饭食，便不知从何处掏来！从上午六点钟做到正午十二点放工，下午两点又要上工，在这短促的休息时间内，她们奔到家里，一壁握着头发待理，一壁又得招呼孩子吃奶，此外自己还得吃饭，——所吃的大约都是些冷饭残羹——更不问好歹，只糊乱倒在嘴里，奔马般的时间，又从不为苦忙的人稍驻，可怜眼见又要上工了，不管孩子的奶吃够了没有，只有狠心放下那带哭声的孩子，急急奔向工厂去。如此操作，直到下午六点钟才放工。至于月薪，不过十二三元至二十元之谱。这些微的银子，不但买了她身体的自由，抑且买了她意志的自由，掠夺了孩子们母亲的爱，和家庭的幸福。这还不算，到了六月溽暑的天气，前有蒸丝茧的热炉，后有烤丝的蒸灶，前后交烘，因之气厥身死的，一天免不了几个。这种地狱般的人间，我们耳食者，犹不免烦冤满腔，何况身受荼毒的呢？但是奇怪！今天死了一个工人，明天依旧补上一个工人，绝没有裹足不前的。唉！他们为的是什么？仅仅吃饭的问题，便尔牺牲这许多！而雇他们的雇主——资本家，又何尝比人多一头一臂，而他们所享受的在工人万万倍之上，而又一无所牺牲，人间事还有不平等过于此的吗？便是给人家做使女僮仆也都比工人受用得多呢！提倡妇女运动的诸姑姊妹！你们不要只仰着头，往高处看，也俯俯身子，看看那幽囚中的可怜妇女吧！为她们求到翻身，求到自由，不是比给少数所谓上流阶级的妇女，求得参政权，不是更要紧而实在的吗？或者有人说求参政权的成功，便是一切的成功，如施设女子教育机关，定平等待遇的条件，都只要有了干预政治的权力，就都做到了，其实无论理论上说得过去与否，而事实上，绝不是如此，不但我们没有实力，得不到参政权，纵使勉强得来，因自己能力有限，及政治界之伎俩百出故，卒不免为一部分争权夺利之工具，这又何苦来？而且运动妇女参政权的事情，在最近的潮流上看来，已经是过去的事了，现代女子求解放应当另辟新道路，才不至劳而无功。现代的妇女问题，已经不是独立的东西，早与社会问题打成一片了。

　　人类社会的改进，绝不是局部的，必定全体都有牵连，我们只愿个人本身的安乐，而无暇放眼向大千世界的全局看看，终久将安乐不了。中流以上社会的人，若只觉自己现在还过得去，便不问其他，都只以虚应故事的态度应付一切，点缀升平，到头来自己也要卷入苦恼的漩涡里了。譬如资本主义，其初的毒焰，只焚及下流社会的劳工们，而因他垄断财富的结果，奢侈日甚，消费特别利害，足以将社会一般生活程度提高，中流社会的人也不免要叫苦连天了。又因为垄断之不已，互相竞争，而发生战事，于是全局为之牵动，上流社会的人，也不免颠顿之苦，——这些事实，绝不是法律条文上，所能保障的，完全是实际生活的关系，那么斤斤于条文上做工夫，能不自笑其失计吗？况且我们相信过去时代女子的屈从，是由在产业界方面，女子不能不为经济无能力者所致。如果我们要改善女子的经济地位，解放其过去长久时间的屈从的铁链，又不能不注意到劳动运动，因为劳动运动，实在是促起经济的革新的唯一手段，且是唯一有效的手段，所以我们女子不求真正的解放则已，否则我们就不能不重视劳动运动，因为除此以外，再没有更重要的了。

而劳动运动中最重要的问题，是工作的时间减少，和工价银的增高，此外还有就是机会同等问题。

通例女子对于职业，立在两重不利益的立场上，第一，从事同一的工作而工钱则比男子低廉，第二，被认为女子独占的职业，无论其真价值如何，而在经济上，大概都是受很低的评价，受极低廉的报酬——至于所以如此之故，第一理由就是几千年来被压制的结果，先天的体力和聪明，及后天的熟练机会都逊于男子，欲想恢复这一层，一方面须要求女子职业教育的改善和普及，一方面女子不被限制于家事及育儿方面，应当予以同等的机会，发展她们的体力及智力。这一层关系减少工作的时间最密切，女子从前因太不劳动而养成弱不禁风的体质，固然是不宜，但劳苦过甚也一样减少其健康。还有一点，我们须知人绝不是只为吃饭穿衣服住房子而生存，除求物质的满足外，尚当予以精神的满足，如现在的劳工，除了工作——枯燥得和机械一般的工作，再没有暇余的时间，使他们享些家人团聚融洽之乐，也再没有暇余的时间，使他们领略些天然的美趣，享受些灵感上的乐趣。克鲁泡特金所主张八小时主义之所以有价值，就在灵肉均调这一点上。

　　这以上的问题一方面可以说是女子的问题，一方面又可以说是第四阶级男女共同的问题。不过女子因育儿的关系，却被社会如此残酷的待遇，更使我们感觉到不平之愤，还有一层女子恒被视为奴隶相等的阶级，男子中有阔老官有主人，而女子则完全只是他们的所有品和他们的所有奴隶，这就是激起女子对于男子宣战唯一原因，若果低头一看自己的幽囚中，也有他们男子在内，那末她们必当转一面，不向所有的男子宣战，只向那些阶级不同的人——不问是男是女——若果女子里有自命阔老官主人，而奴视不同阶级的女子的，我们也应当一样和她们宣战，我们所争的，只是同此头颅的人类平等，并不是两性的对敌，事实上两性在世界是相互而生存的，若故为偏激之论，两性中间树起旗帜，互相战斗，那末中国的女子必要学《镜花缘》里女儿国把林之洋缠起足抹上脂粉来才能出前此一口怨气！如此冤冤相报，不独无意义，而且是大误谬了。

　　如上述女子解放的关键，只在劳动运动。劳动运动之克成功，势必在劳动妇女自身的觉悟，而中国的劳动女子又是一字不识，向来被压服惯了，更兼之"忍"是中国人的美德，有所谓"百忍堂"等美名目，不喜生事，——所谓大事化小事，小事化无事——又是中国人的惯性，我们若只眼巴巴的望着这一群可怜妇女自动的觉悟，恐怕太不容易了。因此我们稍有知识的妇女，真看到妇女解放的真髓，然后本一片至诚，具百折不挠之毅力和决心，专在这些妇女身上做工夫，或者在工厂旁设立劳工学校，或者在工厂旁作露天讲演，——这些事业绝不是容易的事，第一要牺牲精神和金钱，甚至要牺牲生命，所以非有十三分决心的人，不配来讲什么运动，更不是专门借题发挥的配来负此重责。

所以我对中国有彻底觉悟，而想做妇女运动的可敬的志士有极大的希望，也有极恳切的忠告：无论做一种什么事业，第一步路径便是研究室里对于自身修养的苦功修养有素，然后再从事实在的方面观察，观察有得，然后须坚确信心，有了信心，再筹施设之方案。一切都准备好了，便可开始工作。工作时必有一种为主义而牺牲一切的信念，到了这时候，所谓火候已到，便没有不成功的事情了。何况乎妇女运动！

（本文原载 1924 年 3 月 1 日《民铎》第 5 卷第 1 号）

关于妇女解放

鲁迅

在生理和心理上,

男女是有差别的;

即在同性中,

彼此也都不免有些差别,

然而地位却应该同等。

孔子曰："唯女子与小人为难养也，近之则不逊，远之则怨。"女子与小人归在一类里，但不知道是否也包括了他的母亲。后来的道学先生们，对于母亲，表面上总算是敬重的了，然而虽然如此，中国的为母的女性，还受着自己儿子以外的一切男性的轻蔑。

辛亥革命后，为了参政权，有名的沈佩贞女士曾经一脚踢倒过议院门口的守卫。不过我很疑心那是他自己跌倒的，假使我们男人去踢罢，他一定会还踢你几脚。这是做女子便宜的地方。还有，现在有些太太们，可以和阔男人并肩而立，在码头或会场上照一个照相；或者当汽船飞机开始行动之前，到前面去敲碎一个酒瓶①（这或者非小姐不可也说不定，我不知道那详细）了，也还是做女子的便宜的地方。此外，又新有了各样的职业，除女工，为的是她们工钱低，又听话，因此为厂主所乐用的不算外，别的就大抵只因为是女子，所以一面虽然被称为"花瓶"，一面也常有"一切招待，全用女子"的光荣的广告。男子倘要这么突然的飞黄腾达，单靠原来的男性是不行的，他至

---

① 此为西方传入的一种仪式，叫掷瓶礼：在船舰、飞机首航前，由官眷或女界名流将一瓶系有彩带的香槟酒在船身或机身上掷碎，以示祝贺。

少非变狗不可。

这是五四运动后,提倡了妇女解放以来的成绩。不过我们还常常听到职业妇女的痛苦的呻吟,评论家的对于新式女子的讥笑。她们从闺阁走出,到了社会上,其实是又成为给大家开玩笑,发议论的新资料了。

这是因为她们虽然到了社会上,还是靠着别人的"养";要别人"养",就得听人的唠叨,甚而至于侮辱。我们看看孔夫子的唠叨,就知道他是为了要"养"而"难","近之""远之"都不十分妥帖的缘故。这也是现在的男子汉大丈夫的一般的叹息。也是女子的一般的苦痛。在没有消灭"养"和"被养"的界限以前,这叹息和苦痛是永远不会消灭的。

这并未改革的社会里,一切单独的新花样,都不过一块招牌,实际上和先前并无两样。拿一匹小鸟关在笼中,或给站在竿子上,地位好像改变了,其实还只是一样的在给别人做玩意,一饮一啄,都听命于别人。俗语说:"受人一饭,听人使唤",就是这。所以一切女子,倘不得到和男子同等的经济权,我以为所有好名目,就都是空话。自然,在生理和心理上,男女是有差别的;即在同性中,彼此也都不免有些差别,然而地位却应该同等。必须地位同等之后,才会有真的女人和男人,才会消失了叹息和苦痛。

在真的解放之前，是战斗。但我并非说，女人应该和男人一样的拿枪，或者只给自己的孩子吸一只奶，而使男子去负担那一半。我只以为应该不自苟安于目前暂时的位置，而不断的为解放思想，经济等等而战斗。解放了社会，也就解放了自己。但自然，单为了现存的惟妇女所独有的桎梏而斗争，也还是必要的。

我没有研究过妇女问题，倘使必须我说几句，就只有这一点空话。

十月二十一日①。

---

① 即 1933 年 10 月 21 日。

在法律上平等

袁昌英

我们如果要想建设一个理想国家,
不特不容推翻男女平等这个原则,
且于订定各种行政章则之时,
也绝不应再有违反这种原则的事实。

……男女平等，从法律的立场上说起来是决无疑义的，因为在国民政府成立之前及成立之后，对于男女平等这个原则，迭经明文公布。民国十三年①一月，对内政策第十二条："于法律上，经济上，教育上，社会上，确认男女平等之原则，助进女权之发展。"这是国民政府成立以前的明文。二十年②六月一日所公布的中华民国训政时期约法第六条："中华民国国民，无男女种族宗教阶级之区别，在法律上一律平等。"这是国民政府成立以后的明文。且自国民政府奠定国基以来，所有社会上的一切活动，除军役外，女子和男子都是一般的分担责任与义务，一样的享受权利与名位，并不曾见任何人提出异议，亦不曾见任何立法手续，对于男女平等的原则与事实，加以限制。

可是最近一二年来，我们发现不少机关，在事实上，对于女子特别加以不平等的待遇，例如近来各机关的卡车，均不准许搭乘女客，而对男子却似不加限制。据传说：如果某卡车有搭乘女客的嫌疑，一经查获，除该女客应于即

---

① 即 1924 年。

② 即 1931 年。

时即地被迫下车并处罚金五百元外，卡车本身尚须因此充公；至于男子则无论买票或借光，均无限制。这种《规则》的明文，我还没有亲眼见过，抑且不敢信以为真。但在不久以前，我因为有一点要事，非经成渝成嘉两条公路不可，而在目前交通工具不算富裕的时候，公路汽车票不特不容易买到，就是等候了一二星期，买到了手，一天路程也常须走三天。于是为了避免困苦与节省时间起见，我曾谋过搭乘各机关往还空车的方便。结果只发现了我所熟悉的机关，莫不证实前项传说，虽是极肯帮忙的朋友，似亦一筹莫展。

　　据说这种《规则》的来历，第一是因司机们喜欢携带"女友"，坐在身边，一面开车，一面谈笑，曾在悬崖绝壁的危途中发生过严重的误事；第二是为防止女间谍的活动。这些理由，当然都各有其特别的立足点；为了避免流弊与无谓牺牲起见，取缔办法确是不能不有的。然而我总觉得，为了防止第一种的流弊，只须不准女客坐在车头上，也就简单明了地充分足够的了，殊不必因为几个司机与无聊女子的恋爱，而就剥夺全体女子的乘车权利。至于女间谍问题，似也有些说不过去。事实告诉我们：为害最大的汉奸与间谍，还是黄秋岳之流，而如川岛芳子那种的角色，我国女子里面尚不多见！自七七事变开始迄今，在前后方各处所捕获的间谍与汉奸中间，到底有几个是女子？其数是否多于男子？而且女子之做间谍，多半是从色字下手，她们的目的，多半是在窥探军事政治上的重要秘密，因此，她们的对象多半是在比较重要一点的人物身上。重要人物大都自备汽车，而自备的小汽车却不禁止女子搭坐，所以仅剥夺了女子乘坐卡车的权利，还是不能解决女间谍问题。若说公家的卡车或任何其他交通工具，根本就不应该准许私人利用，那自然是合理之至，可是取缔的对象应是"假公济私"这回事，而非女子。像现在那样的《规则》，不问有无明文，总不符合我们的立国精神以及政府迭次公布的法令。

近年来还有一种予我女子以不平等待遇的特殊现象，就是有许多机关，尤其是银行界，不肯选用女职员。它们在招考行员或其他职员的章程与广告上，往往特别标明专收男子，不要女子去报名。因此，各大学里面同班毕业而成绩甚至于比男生还要优良的女生，眼见着同学一个个地投身银行界或其他业务，不特从此可以向着他们认定的途径，发展其一生事业，而且目前就能得着相当优裕的薪水，而自己却感彷徨无路：这里去谋事，碰上一鼻子灰；那里去投报，喝上一大口闭门羹，弄得悽悽惶惶，茫然无所适从。迩来武大一部分女生，感觉着这种男女职业不平等的痛苦，在壁报上发表了些议论或不平之鸣，由此引起了一部分男生的注意，于是壁垒鲜明，争辩无已；最后女生方面发起开一座谈会，以为双方面谈比较容易解释一切观点，可以彻底交换各方面的意见；不料因为时间及其他关系，座谈会也没有产生其所预期的收获。

银行和其他相似的机关,为什么定要采取这种差别待遇的手段呢?据说最重要的理由有三。

第一,银行事业是一种继续不断的事业,而多数女职员,总不免要结婚,结了婚就不免要生育,生育时就不免要请假,一请就是两三个月,非找生手接替不可。第二,银行每训练一个行员,非但煞费苦心,且经相当年月,而女职员常常会因生育或婚姻问题,完全放弃事业,回到家庭里去,浪费了银行对于她们的训练功夫。第三,在目前艰难抗战的时候,银行职员常有被派遣到边远区域去服务的必要,而女子因为受不起风霜,往往不能胜任此种职务。

基于上述理由,银行和其他类似的机关便很理直气壮地对一般女子采取关门主义。这些理由,不能不说相当坚实。但若为此而即采取消极手段,则从我们看来,似无异于因噎废食。这三种困难之解决,虽不如"为长者折枝"之易,却也不如"挟泰山以超北海"之难,大家苟有诚意,办法还是有的。譬如第一种困难,实际上就不过一个极其普通的请假问题。社会上各种事业,大多数是与银行同样的不可间断,即以大家认为最适宜于女子服务的教育事业来说,一个学校,除了例假以外,也不是可以今日上课明天休息的。又如商店及政府机关,那一个是可以随时停顿的?

银行既是社会机构之一，就得准备应付任何社会机构所必遭遇的困难。为什么其他机关都有方法来解决这个女教职员的请假问题，而独银行就不能呢？难道所有的男性行员，从来不曾开过那在时间上约相当于产前后假的先例？若说每个男子只要一进银行之门，就得皇天特别保佑，不但他的本人与家属永远不生大病，甚至于连他的年老的父母与祖父母等也可逃避阎王老子的法令，那就未免近乎神秘。在廿世纪的今日，此种神迹似是不会有的。如果男行员请假尚有办法，那末，女行员的请假当然也可不成问题。

至于第二种困难，则是一个中途改行问题，也不限于女子——男行员从经理起，中途改行者多矣——就女子而言，在女性运动的初期，"花瓶"确占优势，而有实学、意志与事业心者，反不多见。在此过渡期间，银行家经过了相当经验，对于雇用女行员一节，诚不免谈虎色变，然而一时的变态现象，岂可视同常例？只要他们能够破除情面，改以考试方法遴选真材，问题就可解决过半。因为一个经过了将近二十来年的苦学，并且受完了各级正式教育之女子，一旦得了她所理想的事业或出路，断不会像"花瓶"那样，一阵东风吹得来，一阵西风吹得去，轻易放弃她所宝贵的园地。

第三种理由更为脆弱，也许不过是种借口。试问目前在后方安稳地带服务的行员何止数千，在这许多行员之中，即使开放女禁,女行员能占几名?留下几千个男行员不派,而硬要在少数女行员身上打算,岂非故意开玩笑吗?且因女子不能派往远地服务,而即根本取消其在就近工作的资格,理由也不充足。就是说凡担任行员的人都有这种赴汤蹈火的义务,则我以为西洋女子既可以往北极去探险,非洲去打虎,潜水艇里去当无线电员,军用飞机里去当驾驶员,前线机械化部队中去开大炮,那末,我们新中国的女子,也不一定缺乏那种走到边远区域去当银行行员或其他职务的勇气与毅力吧。

由于以上剖析,可见目前社会在事实上所予女子的种种不平等的待遇,其所据理由,很明显地,至少有一部分仅是"欲加之罪"。在国家法令的重要保障之下,新兴的女性运动为什么常受打击?在冠冕堂皇的托词之下,一定还隐藏着别的更为基本的因素在里面。我们现在撒开感情作用,以实事求是的精神来讲?这些潜在的因素,可以得到远近两种。

近因是什么?原来中国女子之能获得法律上与男子平等的地位,不是由于女子本身的奋斗与努力,而只是那一阵一阵的欧风美雨惠然吹来的礼物。"纨袴子不知稼穑之艰难",中国女子压根儿就没有彻底了解这"给予她做人资格"的"女权"是怎么可贵,因此而就糊里糊涂地肆意挥霍起来。试看十余年来凡在社会上大出风头的女子,有几个是真正具有足够的学识才能意志来执行那从天上掉下的平等地位所给予她的神圣使命,而能负起这个使命的内在责任?平心讲来,位置卑微点的,恐怕多半是打扮得花枝招展般的出入于办公室,签一个到,略坐一下,便到同事桌前说说笑笑,把年轻的迷得眼花缭乱,神魂颠倒,把年长的气得满腹牢骚,胡子直翘。谈笑之余,看小说是件常事,吃点心更不足奇。至于公事,有的可请同事代办,有的可以藏在抽屉,反正紧要公文是轮流不到她们办的,拖延并无多少关系。若是说到公余的话,那更是热闹一团了:这个同事口约,那个朋友电邀,咖啡厅,西餐馆,电影院,跳舞场,游泳池,简直是忙得气都喘不过来,那里还有时间讲到自修,看书,或是想到什么劳什子的责任与义务!这种情形战时也许略微不同,可是寻乐的地方总还是有吧?

　　位卑的小女职员多半是如此,那在上面一层的女政客或名流之类又如何?情形不同得多!有的是以漂亮换来的威权和恃交际手腕掇来的势力与金钱,今天汽车驰驶于街头,明天飞机飘凌在空际:在战前是今日上海,明日南京,在战时是今朝重庆,明朝香港,也许还要远至马尼拉。生的小孩可以寄在人家的殖民地上,聘用西洋保姆来教养,那还愁什么长假或短假?在这样一流的人物,根本就无所谓请假,因为她的位置至少是个什么"长"。既做了"长",行动还不可以自由些吗?莫说因公在外,就是平时办公,也不过是坐着汽车到机关里去逗留几分钟，问问这个部下替她代做的文章杀青了没有，那个部下替她翻译的权威著作完卷了没有，下次开会时所将需要的资料是否已经搜集齐全，捆在一堆，编成提要！这里也许有人要问：这一捆捆的资料，纵使编成提要，她若自己不去检点一番，开会时如何提出报告？不知开会只是仪式，资料是给别人参观，像这种漂亮人物，本可以开几年的会而不一张金口的呀！若是所开的适为小组会议，而又自当主席的话，那末到了不得已时，也可提起笔来，颇费踌躇，挥就一篇多至几十个字的皇皇大文章来。当然，在这大文里，至少有几字是写得比玉龙雪山上面的雪还要来得皑皑兮眩目！至于文理，则更不妨"自我作古"！若论"书法"，那就可称"云鬓花颜金步摇"了，多么妖娆！真的，她们是专家，留过学的，不屑得去练习那种雕虫小技；偶写惊人文章，也不过是一时的天才流露而已！况且人家多忙，每晚就寝以前，须得先用七八种"好来坞"的化妆品在脸上一层层地搽上去，要摸一两点钟之久；又要用些舶来的奇香冷雪花精，按擦浴后的冰肌玉肤，最后更用各种名贵香油，擦在手指甲及脚指甲上，使那玉笋莲枝明唇涂上蔻丹时显得格外红润香艳！这些不是很费时间的工作吗？还有比这更重要的责任咧。除了那一头的电烫蓬发以及日必更换数次的丽装艳服须常费斟酌外，又除了那时常不可避免的开会与见客外，还有那最令人绞脑的宴会，今晚某哥请客，明夜某公招待外宾，都非亲自出马去权充女主不可，因为他们的夫人小姐也许拿不出手，非得有人代庖一下不可呀！一个人的精力毕竟有限，这么多的职务蝟集于一身，你还要盼望她自己研究，自己写作，真是太不近人情了。然而人家既是专家、名流或政客，那能不常发表几篇能替女界增光的文章？一个必然的出路是命部下代劳。男性的同等要人，不也多干这套？

再有那在家里的时髦太太，虽然不如"花瓶儿"那么自由，可用自己赚来的钱，去买新奇的化妆品等，也不如"名流儿"那么威风，到处受人崇拜，然而她们有的是丈夫的地位、势力与金钱，可以尽量享用。在光天化日之下，她可整天装饰得像准备赴宴的样子，指挥着丈夫的办公汽车，往来驰骋于大街小巷。你若问她忙些什么，恐怕只有上帝能够答复！也许是找朋友谈天，也许是作方城之战，也许是为参加跳舞茶会，也许是到温泉去闲逛，谁知道！至于小孩呢，那还有你愁的？家里有的是奶妈、女仆，只要口里发一个命令，小宝贝就会脸上擦着香粉，腮边涂着胭脂，额上点着宝朱，身上穿得花花绿绿地即刻呈现于客人的面前，也许可以伸长手去接领客人的见面礼咧。家事吗？那更不待烦言，有的是穿制服的听差，只要口说一声，所有一切飞机上带来的糖果点心，都可以随时捧出，款待客人！可是这还仅就有福气有身分的时髦太太而言。此外尚有一批薄命的红颜，有的年纪还轻，对镜自赏，风流可嘉，然而不幸嫁了年岁较大的达官；或是眼看看人家的丈夫比她自己的官高势大，金钱来得容易；又或逢场作戏，遇见了比丈夫更为可爱的人儿，那末她们就不得不另打主意，将那满腔郁抑的情肠，换洗一番。本来，这是一个自由世界，结婚与离婚的广告不是每天报纸上都用特号字刊出来吗？所谓良心与道德，在这物质文明世界里面，莫非是种表示落伍的字眼儿，谁有耐心去理会呢！自己所生的儿女，可令一律变为孤苦零丁的无母儿，原来恩爱的夫婿，可使转眼变成神经错乱的被弃者。至于对方的妻室儿女，自更不妨听其变为孤儿寡妇，失教失养，暗流一辈子的眼泪。这些悲剧之演出，只要能够使她自己的情欲获得满足，她就满不在乎！你若咒骂这是新教育的罪恶，白费了国家社会的一切人力物力来养成这批妖魔鬼怪式的新女子，徒然有害于国家的安宁与幸福，那她更是无动于衷，因为她若没有白花国家社会的一切，何来她的害人的招牌与手腕！

中国的女性运动，自萌芽迄今，为时不过三四十年。在这短短的过程里面，尤其是最近十余年来，中国女性运动所曾获得的一点收获，简直是被那一班糊涂的"花瓶儿"、自私自利的"时髦太太"以及无耻的"名流儿"蹂躏得，践踏得，滥用得，污秽得，侮辱得不成样子，连带地把整个社会弄得乌烟瘴气，啼笑皆非。于是一般深思远虑之士，不免瞠目相视，而其结果，则为养成那种对于一般女子的鄙视、厌恶与不信任的心理。以上是说近因。

远因呢？比较简单得多。隐隐潜伏在我国一般人士的头脑里面还有不少性质强烈的遗毒，那就是数千年来奴役女子，轻蔑女子，不以女子为人而以女子为物的所谓"封建思想"，它的格言便是孔老夫子所谓"惟女子与小人为难养也"。人们的脑子里面，既是有了这种永远作祟的传统观念，于是不问女子有何本领，有何学识，怎样自尊自重，怎样肯替社会国家与家庭服务，而总不免带着几分怀疑及漠视的态度。一旦有了上述近因为之借口，更是火上加油，其焰转炽，那些顽固分子便像希特勒那样，非把女子镣梏起来，重行禁锢在那凄惨的、幽暗的、地狱般的集中营内不可。

对于这种远因，我们目前尚不能有多少办法来使之完全消除，惟有期待着将来出批彻底了解女性运动的真谛的健全女子，能在学术事业与人格的修养上，努力精进，树立榜样，以收改变观念或转移视听之效。革命必先革心，女性运动的真正完成，亦必先经一度思想革命，从根铲除一般人对我们女子的偏见。

上面所述的近因，即自女性运动勃兴以来，社会上出现了不少"花瓶"之类，行动乖张，见轻于人，殊可令人痛心。然而这些都不过是初期运动所犯的幼稚病，在过渡的时代，似本难于避免。法国大革命时所揭帜的自由平等博爱三大原则，证之以十九世纪的人类进步，其本身是多么辉煌灿烂，然在当时，固仍免不掉引起罗兰夫人的感慨。我们现在对中国的女性运动，自亦不可因为几个特别刺目的恶劣现象，而就忽视它对整个民族所可发生的良好影响。我们只要把那视线透射到各种阴影的背面，就可发现如今已有很多女子正在各方面埋头苦干，潜心努力，做着她们自愿选定的事业，尤其可称颂的是在后方维持中小学教育，及在前方服侍伤兵的妇女。还有许多博爱慈祥的妇女，冒着绝大的艰险，从战区救出数万难童，领到后方来给以抚养与幸福，加以教育与训练，以为国家作育人才，保存元气。若是我们再把视线转移到全国的文化机关，还可发现不少女子正在那里屹然不动，持着淡泊宁静的态度，辛勤地各自耕耘着那种眼前不易见到收获的学术园地。所有这些坚勇卓绝，埋首苦干，并不贪图虚名与实利的女子，究比害群之马多了许多。她们才是中国女性运动的代表人物；那些装腔作势，凭借美色以窃取名位的得意男子的摩登玩物，终不过是混珠的鱼目，经不起时间老人之慧眼鉴别的。

　　人数最多而影响最大的可尊可敬之妇女，当然仍在许多健全美满的家庭里面，那边有着不少受过新式教育的贤母良妻，在替民族创造身体强壮、精神活泼、习惯优良、品性高贵的下一代的国民。自抗战军兴以来，这些原是娇小姐出身的主妇，现从客厅洒扫到卧室，从厨房洗刷到毛厕，洗衣烧饭，喂奶教书，做鞋缝衣，接待亲朋，无不亲自操作，做出来的成绩又是多么可观！我每次从这一种有着标准主妇的快乐家庭回来,我的精神可以兴奋到流泪,而且默自念着:中华民族毕竟是伟大呀,能出一批这样优秀的妇女!一国有了这种合乎理想的家庭,来培养出继往开来的国民,国势能不强盛,前途能不光明!上文所说的花瓶之类,为数究属有限,以与这种经过了自由意志的考虑而后决定担任贤母良妻的高贵女子相比,那简直是凤凰中杂些乌鸦而已,明眼人当能看出瑕不掩瑜!

由此观之,我们可以大声疾呼曰,中国的女性运动非但根本没有失败,而且已有相当的收获。若再假以时日,成绩必更可观。然而戴着有色眼镜的人,只瞧得见那些无用的"花瓶儿",害人的时髦太太,以及无耻的"女名流",却放下这成千成万的贤母良妻、职业妇女,假装着没有看见,不肯承认她们对于民族国家的伟大贡献,一味固执其对女子的怀疑轻视与不信任心理,欲以种种方法来限制法律上早已赋予她们的权利,甚至发出男女根本不应平等的谬论,是诚不知其何所用心!

讲到这里,或有人要提出抗议:我们并不反对女性运动,也不否认女子在法律上应与男子平等,然而为了国家民族的前途起见,女子的活动范围应以家庭为限,殊不必与男子在广大社会中去力争职业上与政治上的平等。这种论调,骤然听了,似是乎言之成理,无可非议。可是事实不是这样简单。多数女子的大部分活力,是必用在家庭与儿女上的。

这是人类的天性，也是大自然的神秘。一切生物，若是没有这种神秘的天性，则其种类必归消灭，在地球上不留遗迹。人在宇宙中还是一种方兴未艾的族类，现正朝着灿烂的理想的前途迈进，妇女解放无论至何程度，不会危及母性。并且母性也不仅是义务，而同时是绝大的权利。为母者由生育抚养教导儿女所受的痛苦与勤劳，其成分就远不及儿女送回来的快乐与幸福。母爱固然神圣，但是小儿女对于母亲的爱更是神圣！那种绝对的信托，无条件的依赖，以及那自洁白无瑕的小心灵中所发出来的只有母亲是一好人的情感，恐怕已是人与人中至高无上的情绪了。我以为凡属受过相当教育的母亲，而不是一怪物或蠢货的话，没有不认这些小儿女的至情之流露，便是人世间无上的光辉与尊荣了。谁说做母亲不是一种权利？只要是身心发达得到平衡的女人，没有一个不愿享受这种权利的。

然而女子里面，犹如男子里面，毕竟仍有才识过人，能力卓越，而其意志也很坚定的特殊人物。这类女子，有的除了担任母亲的责任以外，尚有余力，愿为国家社会做些别的事业；有的也许根本就不能得为母的机会，可以倾全力以从事于社会事业。这种女子，如果生在一个自由平等，人人得而发展其天才的社会组织里面，当然是有她们的贡献的。法国的居礼夫人，英国的越补夫人，美国的亚当女士，就是荦荦显例。至于成就可观而声望较次的人物，在英美那种健全的社会组织里面，简直是不胜枚举。此外还有许多女子，因为性格或环境关系，根本不适于做贤母良妻，而在别方面却有特长，可以有所建树，国家社会如果舍其所长，取其所短，岂不是种最无意义的损失？并且一班受过高等教育或中等教育的女子，选择配偶，压根儿就不是件易事。与其守株待兔，何如先替社会服务？这不仅是公私两便，而且可以减轻那种"倚柱而啸"的精神痛苦。况且一个曾经在社会上见过世面的女子，经验阅历一定比较丰富，待人接物也必更为合适，因而对于理家及做母亲的条件不是更完备吗？一家有了这样的主妇，至少当可不至于演那种"傀儡家庭"式的悲剧了。

所以我们如果要想建设一个理想国家，不特不容推翻男女平等这个原则，且于订定各种行政章则之时，也绝不应再有违反这种原则的事实。

（本文收入本书时略有删节）

男女平等

沈从文

应当将男女关系重新给予一种解释，在分工合作情形上各自产生一种尊严感，这尊严感中实包括了"权利"和"义务"两种成分。

从最古神话到最近科学家意见，都说男女生来好像是"不平等"的。神话说男子用黄土作成，女子用水作成。科学家说从生理组织方面观察，男女生来就不一样，在适应组织表现到行为活动或情绪发展时，男女更不一样。因此"分工合作"名词在过去，当前，未来，永远都有它的意识。人在原则上虽说应当"平等"，事实上许多方面既不相同，求平等自必相当困难。不平等本无"高下"，无"是非"，只是有一点"差别"。因这点差别，于是产生一种现象，即男性在社会上有凡事独占情形，女子在社会上却近于附庸。渔猎时代生活既简单，男的觅食，女的育雏，分工合作各执其事，还看不出男女间如何特别不公平。到农业时代"财富"有了意义，财产来源既与"能力"不可分，因此男女之间生活地位渐渐见出差别。中国古代政治家，早看出了这种差别，可能发生许多问题，想用人为的方式求其平，礼教由此而起。礼教中谈及男女问题，虽云"男尊女卑"，其实在家的制度中却给了女子一种绝对平等观。可是财富既与能力不可分，能力的另外一种发展方式，又成为知识，对女子定则能力多用于育雏一事，知识发展亦因之受了限制，男子拥有知识与财富，女子却除孩子外竟似别男女地位上的优劣情形，自然日益显著。到近代，平等观重新被提出，妇女问题也就因此而起。然而差别既是根本上的，妇女问题所要求的又疏忽了这个根本上的"不同"，只争取生活上的机会均等。以目下能得到为满足得不到为受压迫，自然产生对立感觉。所以妇女问题从一个受过点普通教育，读了些小册子，年在二十岁左右的女子看来，也许要求的只是像男子一样得到知识、权力和地位，问题即已解决。但是一个真正认识这个问题的人说来，就一定觉得到这一切实不容易，即得到这一切，不平等事实还依然存在。求"男女平等"，或者还得另想办法。这办法应当将男女关系重新给予一种解释，在分工合作情形上各自产生一种尊严感，这尊严感中实包括了"权利"和"义务"两种成分。义务不能相同，权利也容许有不尽同处。到那时女子"得到一切"的幻想或者自然会承认事实，改为"得到所能得到的"。且明白解决妇女问题，比别的问题还切迫需要从"认识"入手，第一点即认识男女不宜从对立方式作无结果的战争，却必需在合作趋势上建设生活的理想，女性能明白一个家对于母性本能发展的重要性，如何大，如何重要。幻想始终有个生理限制，对少数可望超越，对多数还得服从自然。男性若明白有关男女问题殊不必对立争权，更不必在名词上纠纠缠缠，凭空说理，所努力的是如何来安排一个好好的家，在家的意义上，享乐感与责任感调和得恰到好处，使这个家恰如一个聪明鸟儿温暖的窠，适宜于发展母性鸟类孵卵育雏本能，而又不丧失现代女子所需要的自尊心，因此一来，妇女问题就简单多了。所以当前妇女问题，也可说实起因于男女两方面知识不够，属于情感处理的抽象知识，与属于生活的具体知识，都不充分，问题因此不易解决。"男女平等"一名词上各执一端，纠缠不清，只增加问题本身的复杂性，毫无有助于任何一方面结论可言。前不久，政府有成立一个妇女部的消息，妇女部做的事自然很多，可是个人却希望妇女部中能容纳几个专家，将当前中国妇女问题，从与男子"对立"趋势上，引导到与男子"合作"趋势上来。至少这种工作值得试验，尤其是就中层阶级男女，必须作种种设计，建设一些新的两性观，对抗封建观实在大有意义。

PART 3

——

美的世界与女性

所谓"蓝袜子"者

梁实秋

"蓝袜子"之所以成为"蓝袜子",在于她们的开通的态度、伶俐的口才、同情的心胸、好客的习惯及嗜好文学美术的兴味。

听说有人把中国现代的"女作家"比做英国十八世纪的"蓝袜子"。这个比拟是否确切，姑不具论；不过"蓝袜子"这个名词究竟怎样讲法，却值得研究一下。"Blue-stockings"这一个字，在各种大字典或百科全书里都有简略的或详尽的解释。但是最可靠的最方便的要算是《剑桥英国文学史》第十一卷第十五章。专论"蓝袜子"的书则E.R.Wheeler: *Famous Blue-stockings*（一九一〇）。此外英国的 *Blackwood Megazine*（一九〇六年十月份）里也有一篇专论这个题目的文章。

我如今根据《剑桥英国文学史》，将"蓝袜子"的历史略为叙述如下：

在十八世纪前一半，英国妇女很少受过多少教育，在智识阶级里没有什么地位。在那个时候，"一个女人求知识之最好的方法就是与父亲或兄弟或朋友谈话中得来"。绥夫特于一七三四年从爱尔兰写信给德兰奈夫人说："此地的男人们有一种很荒谬的错误，他们以为你们女人对于无论哪一项除了家事以外都有做傻子的义务。"绥夫特的这句话可以说是当时很早的反抗了。

因为一般人以为女子不必求学，所以在社交场上男女竟很难找到共同的谈话的题目。伊利沙白卡德写信给蒙台沟夫人说过："在交际场中男女好像是宣战了一般，男子们都聚在屋里的一边谈话，把我们可怜的女人丢在一边来来往往的以闲谈自娱。据我所偷听到的，他们谈的乃是英国古代诗人，其实像这样的题目，我们女人不见得就听不懂，也不见得就不能谈。"卡德对于"男女分座"的谈话式表示不满，实在就是一般有知识的女子的不满。所以在这个时候，渐渐就发生一种女子主动的谈话会，在《约翰孙传》中所记："现在变成一种时髦，几位女子召集夜会，在会中女子可以参加文学界的及有才智的男人们谈话。"第一次"谈话"是在维塞夫人（Mrs. Vesey）家里举行的。

"蓝袜子"这个字的起源似乎不很清楚，十九世纪初年很有些个作家想考据这个问题，有的考据到法国或意大利或其他的地方。但是近来批评家的意见似乎都公认是起源于斯蒂林弗利脱（Stillingfleet）。包士威赞成这个学说，达伯雷夫人也证明不诬。英国的习俗，每年都有大批的时髦男女从伦敦移到温泉（bath）去避暑，维塞夫人有一次就请斯蒂林弗利脱先生参加她家里的谈话会。斯蒂林弗利脱先生是一位植物学家、诗人、哲学家，一无所成，并且失掉了世袭的位分。他已从社交场中绝迹，所以不能不拒绝这一次的邀请，就藉口说没有夜会应穿的衣服。维塞夫人看他穿着日常的装束，短裤绒绳袜，就欢乐的说道："不要介意衣服！你就穿着蓝袜子来好了。"斯蒂林弗利脱果真这样的来了。满屋的男女都穿着绸缎，非常的富丽，这位服装褴褛的人混入其间，滑稽的自言自语的道："不要介意衣服！你就穿着蓝袜子来好了。"

斯蒂林弗利脱非常的健谈，所以到处都欢迎他，据包士威所载，则非斯蒂林弗利脱，举座即为之不欢。"蓝袜子"之名因是大著。后来渐渐的这个名称竟应用到欢喜"谈话会"的女子身上，这个名词不是十分恭维的名词，"蓝袜子"固然都是极上流的女子，但是她们有那种"女人的弱点喜欢不必要的不大方的夸示博学"。据韦白斯特大字典，"蓝袜子"竟注做 a female pedant（一个女性的夸学者）。不过维塞夫人，我们要公平的指出，她虽是"蓝袜子"们的"第一任皇后"，她却没有上述的弱点。

维塞夫人可以说是"蓝袜子"的创始者，但是蒙台沟夫人是"蓝袜子"里最著名的，因为她有强干的性格，并且她的丈夫拥有极大的财富。她结婚之后不久就觉得多汶街上的房屋大小不足以娱宾客，于是她的丈夫就给她另造了一所房屋，里面有一间著名的"中国式的客厅"，在这屋里宾客日夜不断。

蒙台沟夫人也有著作。她给梨特顿爵士的《死人的对话》续作了三篇，还有一篇《论莎士比亚之作品与天才》，还有诗集行世。但是她的作品近来已无人过问了。蓝袜子里颇有专门的人才，如伊利沙白卡德，她能说法文，能写优美的意大利文，能说拉丁文，极喜欢德文，懂得希伯来文、葡萄牙文、阿拉伯文，又是当代希腊文学者之一。像这样的精通文字，在男子里都少见的。此外著名的"蓝袜子"之饶有著作者不必列举。但是"蓝袜子"之所以成为"蓝袜子"，倒不在于她们的作品与学问，而在于她们的开通的态度、伶俐的口才、同情的心胸、好客的习惯及嗜好文学美术的兴味。她们都是很慷慨的，欢喜鼓励穷困的文人，在当时颇能成为文艺界的中心。约翰孙博士、画家瑞诺兹，都是谈话会中最露头角的文人。

"蓝袜子"这个名词，后来用得滥了，凡是做得一两篇小说几首诗的，都可以比附于"蓝袜子"之列，以视十八世纪是之"蓝袜子"，为何如？

美的世界与女性

——宁波女子师范讲演稿

丰子恺

一切女性皆优美。

愿优美的女性,

引导一切人们向美的世界去!

PART 3 ◇ 美的世界与女性 ◇

　　人对于宇宙的存在，可有三方面的看法：第一，用人的悟性认识宇宙，有品质，有理论，这是真。第二，用人的道德的意志力去实践，为仁为义，这是善。第三，用人的感官直接感觉事物，看见听得，这是美。科学是真，道德是善，艺术是美。用科学的眼光看宇宙，只看见真和伪。用道德的眼光看宇宙，只看见善和恶。用艺术的眼光看宇宙，只看见美和丑。不问真不真，不问善不善，但就其美不美上看去，在我们眼前的宇宙，好像和上两者不同。我与宇宙的一切关系，完全变更为一种新的关系，如像走进了一个别的世界。这是美的世界。

　　向来的教育，偏重真善，忘却了美。就是重视智识道德，看轻美育。科学昌明以来，对于知力修练更加注重。高唱科学万能，物质文明果然奏了急速的进步。从前所未有的机械，未有的交通，和便利于人生的东西，都在科学的腕下出产了。但是，唯理教育过偏重，教人天天在理知钻研中过生活。人与人的相对的态度，全是法庭的态度。人的眼中所见的，只有理实的追求，义务的压迫，利害的盘算。人的精神方面的感情，趣味，全然看得和没有一样了。对于人，只要每天有几小时的睡眠，有几餐饭吃，有相当的衣服穿，就是了。对于物，只求适用。眼前虽有一朵鲜妍的花，也只问有甚么用，属甚么科。虽到了一处山明水秀的地方，也只问是那里，是何省何县。至于感情方面，全然忘却。这样的过于重视现实的结果，世界上的人都变成冷冰冰的，专讲利害的人了。社会变成一个荒凉的决斗场了。人在这现实的世界里，不见爱的只影，就要悲观。所以近来反抗从前的冷酷的唯理教育，提倡情育的艺术教育。援人们逃出了暗而冷的地狱似的知的世界，在人们面前开辟了一个光明的，温和的仙境似的美的世界。叫人们从美的世界里得到神圣的爱，为了人们的幸福。

凡人皆有情，有爱，所以各人应该有一个情爱的世界。大半的人们，被以前的教育囚在知的世界里，竟放弃了美的世界，奋斗送过一生，牺牲了"生是享乐"。

我们对于日常生活，不可专用实利的眼光，应该于实在之外寻出别种趣味。譬如行路，倘目的专在走到所要到的地方，那时只觉得路的崎岖，足的疲劳。反之，加一种趣味于行路时，实在行路就是我们的生活。在这生活中自然可以寻出许多的愉快：远望见青的青草地，拂着丝丝的垂杨，转过小桥，又现出流水孤村，都可愉悦我们的耳目。能在这等上求享乐，就是在现实的世界以外寻到了美的世界。

走进美的世界，享乐美的时候，我们的主观的精神状态不是概念，也不是实用上的意。全然是无关心的，不批评的，陶然自适的状态，客观的美，也不是物体的本身，是本身之外浮现着的一种东西。例如一到嫩草萌动的春野，觉得在暂时之间自我泊入于这等青青的草色之中。此时我与这风景的美融合，便达到"无我"的境地。例如月明的秋夜，对月起神秘的遗世的感想，使人暂时脱离人境，与外界的接触完全断绝，把心融合于对月的想象中。这等时候，我们的精神内容与感觉对象融合。与这自然美同喜同悲，同歌同泣。就是美学上所谓"感情移入"的状态。

我们的前后左右，随处有这样的美的世界的入口。但世人往往过门而不入。只要能找到了这门户，自然觉得前途的光景一变，豁然开出一个光明的别一天地。所谓"舟相衔出洞窈，前望渺茫的大海，回顾琅玕洞的石门的细从"。径苦闷的实在的世界走进到美的世界时，仿佛前后左右逼迫，无逃避的余地的狭路，一变而为四通八达的广衢，百花乱开的春野。

我们倘有情化一切自然物，拟人化一切自然物的时候，这等自然物，也会对我们有情，为我们作种种美的暗示。一花一木，也无时不对人细语，对人嫣笑。一件小艺术品，也无时不有灵魂，做我们的想像的伴侣（imaginary-mate），这种都是美的世界的窗户。一曲歌，一曲琴，会得到他的表情，听到神往的时候，也是美的世界的一个窗子。我们可向这窗子里望见这 beautiful land。

要之,美是直观的感情。美的修养,不要理智,不要分析,只要感情和趣味,使精神归束于"神圣之爱"。如今我要在美的世界里,赞美我们的优美的女性。

女子和男子,天赋的性质不同。以象征来讲:男子是黄色的,女子是青色的,男子是□的,女子是○的,男子是 organ,女子是 piano,男子像 A、E 的声音,女子像 O、V 的声音。或者可说男子像山,女子像水。又可说男子像科学,女子像艺术。男子是知,女子是情。所以女子在天赋上有与美的世界接近的点,或者可说优美的女性的故乡,是美的世界,所以女性原不必求人引导到这美的世界去。有几个特点,可以证明女性是出于美的世界的:

(一)女性的哺育灵性。在天赋的资质能力上,男子主在智识的增进,女子主在灵性的哺育。所谓慈母,因为女子对于儿女是用感情哺育他们的灵性的。慈母爱子间的神圣的爱,就是艺术的境地。吾人的感情,趣味,优雅的情操等灵性,都是在慈母的怀中膝前收得的。教育学者说:"入学以前在家庭所收得的教训,比入学以后至大学毕业之间所收得的教训更多,且是根本的。"因为灵性是人的根本,灵性的教育,主宰人生的气质和一切行为,比知识的教育更加重大。女性用优美的情感哺育子女的灵性,同时又用神圣的爱调和男性的感情和趣味。这是女性的美点。

（二）女性的直观情操。男性以智理的分野为己物，女子以直观的情操为要素。女子比男子富于感情。在日常生活中，可以看到：男子善讲理，往往先理智而后感情，愿牺牲情而存理。女子善讲情，往往先感情而后理义，愿牺牲理而存情。故女子大概多情，即多直观情操。因之男子实现正义，女子则实现优雅。理是法律的，冷酷的，机械的，就是用机械的方法处理人生。情是温暖的，有生气的，人所原有的。人对于理是遵守的，对于情是感服的。故情易感人，感于情的时候的心象的融和统一，是艺术的境地。

一切女性，皆是优美的。爱伦凯（Ellen Key）说："Tanagra人像（Tanagra地方产的女子人形姿势很优美），比Aphrodite女神像指示我们更多的希腊古代妇人的优美的姿态。"又说："我们对于用了如花的温和的态度而扶我们向光明的世界去的无数的以前的女子，不可不感谢。"我要对于现代的女性赞美且祈祷："一切女性皆优美。愿优美的女性，引导一切人们向美的世界去！"

女人

朱自清

所谓艺术的女人,有三种意思:
是女人中最为艺术的,
是女人的艺术的一面,
是我们以艺术的眼去看女人。

PART 3 ◇ 美的世界与女性 ◇

　　白水是个老实人，又是个有趣的人。他能在谈天的时候，滔滔不绝地发出长篇大论。这回听勉子说，日本某杂志上有《女？》一文，是几个文人以"女"为题的桌话的记录。他说，"这倒有趣，我们何不也来一下？"我们说，"你先来！"他搔了搔头发道："好！就是我先来；你们可别临阵脱逃才好。"我们知道他照例是开口不能自休的。果然，一番话费了这多时候，以致别人只有补充的工夫，没有自叙的余裕。那时我被指定为临时书记，曾将桌上所说，拉杂写下。现在整理出来，便是以下一文。因为十之八是白水的意见，便用了第一人称，作为他自述的模样；我想，白水大概不至于不承认吧？

　　老实说，我是个欢喜女人的人；从国民学校时代直到现在，我总一贯地欢喜着女人。虽然不曾受着什么"女难"，而女人的力量，我确是常常领略到的。女人就是磁石，我就是一块软铁；为了一个虚构的或实际的女人，呆呆的想了一两点钟，乃至想了一两个星期，真有不知肉味光景——这种事是屡屡有的。在路上走，远远的有女人来了，我的眼睛便像蜜蜂们嗅着花香一般，直攫过去。但是我很知足，普通的女人，大概看一两眼也就够了，至多再掉一回头。

像我的一位同学那样，遇见了异性，就立正——向左或向右转，仔细用他那两只近视眼，从眼镜下面紧紧追出去半日半日，然后看不见，然后开步走——我是用不着的。我们地方有句土话说："乖子望一眼，呆子望到晚。"我大约总在"乖子"一边了。我到无论什么地方，第一总是用我的眼睛去寻找女人。在火车里，我必走遍几辆车去发现女人；在轮船里，我必走遍全船去发现女人。我若找不到女人时，我便逛游戏场去，赶庙会去，——我大胆地加一句——参观女学校去；这些都是女人多的地方。于是我的眼睛更忙了！我拖着两只脚跟着她们走，往往直到疲倦为止。

我所追寻的女人是什么呢？我所发见的女人是什么呢？这是艺术的女人。从前人将女人比做花，比做鸟，比做羔羊；他们只是说，女人是自然手里创造出来的艺术，使人们欢喜赞叹——正如艺术的儿童是自然的创作，使人们欢喜赞叹一样。不独男人欢喜赞叹，女人也欢喜赞叹；而"妒"便是欢喜赞叹的另一面，正如"爱"是欢喜赞叹的一面一样。受欢喜赞叹的，又不独是女人，男人也有。"此柳风流可爱，似张绪当年"，便是好例；而"美丰仪"一语，尤为"史不绝书"。但男人的艺术气氛，似乎总要少些；贾宝玉说得好：男人的骨头是泥做的，女人的骨头是水做的。这是天命呢？还是人事呢？我现在还不得而知；只觉得事实是如此罢了。——你看，目下学绘画的"人体习作"的时候，谁不用了女人做他的模特儿呢？这不是因为女人的曲线更为可爱么？我们说，自有历史以来，女人是比男人更其艺术的；这句话总该不会错吧？所以我说，艺术的女人。所谓艺术的女人，有三种意思：是女人中最为艺术的，是女人的艺术的一面，是我们以艺术的眼去看女人。我说女人比男人更其艺术的，是一般的说法；说女人中最为艺术的，是个别的说法。——而"艺术"一词，我用它的狭义，专指眼睛的艺术而言，与绘画，雕刻，跳舞同其范类。艺术的女人便是有着美好的颜色和轮廓和动作的女人，便是她的容貌，身材，姿态，使我们看了感到"自己圆满"的女人。这里有一块天然的界碑，我所说的只是处女，少妇，中年妇人，那些老太太们，为她们的年岁所侵蚀，已上了凋零与枯萎的路途，在这一件上，已是落伍者了。女人的圆满相，只是她的"人的诸相"之一；她可以有大才能，大智慧，大仁慈，大勇毅，大贞洁等等，但都无碍于这一相。诸相可以帮助这一相，使其更臻于充实；这一相也可帮助诸相，分其圆满于它们，有时更能遮盖它们的缺处。我们之看女人，若被她的圆满相所吸引，便会不顾自己，不顾她的一切，而只陶醉于其中；这个陶醉是刹那的，无关心的，而且在沉默之中的。

我们之看女人，是欢喜而决不是恋爱。恋爱是全般的，欢喜是部分的。恋爱是整个"自我"与整个"自我"的融合，故坚深而久长；欢喜是"自我"间断片的融合，故轻浅而飘忽。这两者都是生命的趣味，生命的姿态。但恋爱是对人的，欢喜却兼人与物而言。——此外本还有"仁爱"，便是"民胞物与"之怀；再进一步，"天地与我并生，万物与我为一"，便是"神爱"，"大爱"了。这种无分物我的爱，非我所要论；但在此又须立一界碑，凡伟大庄严之像，无论属人属物，足以吸引人心者，必为这种爱；而优美艳丽的光景则始在"欢喜"的阈中。至于恋爱，以人格的吸引为骨子，有极强的占有性，又与二者不同。Y君以人与物平分恋爱与欢喜，以为"喜"仅属物，"爱"乃属人；若对人言"喜"，便是蔑视他的人格了。现在有许多人也以为将女人比花，比鸟，比羔羊，便是侮辱女人；赞颂女人的体态，也是侮辱女人。所以者何？便是蔑视她们的人格了！但我觉得我们若不能将"体态的美"排斥于人格之外，我们便要慢慢的说这句话！而美若是一种价值，人格若是建筑于价值的基石上，我们又何能排斥那"体态的美"呢？所以我以为只须将女人的艺术的一面作为艺术而鉴赏它，与鉴赏其他优美的自然一样；艺术与自然是"非人格"的，当然便说不上"蔑视"与否。在这样的立场上，将人比物，欢喜赞叹，自与因袭的玩弄的态度相差十万八千里，当可告无罪于天下。——只有将女人看作"玩物"，才真是蔑视呢；即使是在所谓的"恋爱"之中。艺术的女人，是的，艺术的女人！我们要用惊异的眼去看她，那是一种奇迹！

　　我之看女人，十六年于兹了，我发现了一件事，就是将女人作为艺术而鉴赏时，切不可使她知道；无论是生疏的，是较熟悉的。因为这要引起她性的自卫的羞耻心或他种嫌恶心，她的艺术味便要变稀薄了；而我们因她的羞耻或嫌恶而关心，也就不能静观自得了。所以我们只好秘密地鉴赏；艺术原来是秘密的呀，自然的创作原来是秘密的呀。但是我所欢喜的艺术的女人，究竟是怎样的呢？您得问了。让我告诉您：我见过西洋女人，日本女人，江南江北两个女人，城内的女人，名闻浙东西的女人；但我的眼光究竟太狭了，我只见过不到半打的艺术的女人！而且其中只有一个西洋人，没有一个日本人！那西洋的处女是在Y城里一条僻巷的拐角上遇着的，惊鸿一瞥似的便过去了。其余有两个是在两次火车里遇着的，一个看了半天，一个看了两天；还有一个是在乡村里遇着的，足足看了三个月。——我以为艺术的女人第一是有她的温柔的空气；使人如听着箫管的悠扬，如嗅着玫瑰花的芬芳，如躺着在天鹅绒的厚毯上。她是如水的密，如烟的轻，笼罩着我们；我们怎能不欢喜赞叹呢？这是由她的动作而来的；她的一举步，一伸腰，一掠鬓，一转眼，一低头，乃至衣袂的微扬，裙幅的轻舞，都如蜜的流，风的微漾；我们怎能不欢喜赞叹呢？最可爱的是那软软的腰儿；从前人说临风的垂柳，《红楼梦》里说晴雯的"水蛇腰儿"，都是说腰肢的细软的；但我所欢喜的腰呀，简直和苏州的牛皮糖一样，使我满舌头的甜，满牙齿的软呀。腰是这般软了，手足自也有飘逸不凡之概。你瞧她的足胫多么丰满呢！从膝关节以下，渐渐地隆起，像新蒸的面包一样；后来又渐渐渐渐地缓下去了。这足胫上正罩着丝袜，淡青的？或者白的？拉得紧紧的，一些儿皱纹没有，更将那丰满的曲线显得丰满了；而那闪闪的鲜嫩的光，简直可以照出人的影子。你再往上瞧，她的两肩又多么亭匀呢！像双生的小羊似的，又像两座玉峰似的；正是秋山那般瘦，秋水那般平呀。肩以上，便到了一般人讴歌颂赞所集的"面目"了。我最不能忘记的，是她那双鸽子般的眼睛。伶俐到像要立刻和人说话。在惺忪微倦的时候，尤其可喜，因为正像一对睡了的褐色小鸽子。和那润泽而微红的双颊，苹果般照耀着的，恰如曙色之与夕阳，巧妙的相映衬着。再加上那覆额的，稠密而蓬松的发，像天空的乱云一般，点缀得更有情趣了。而她那甜蜜的微笑也是可爱的东西；微笑是半开的花朵，里面流溢着诗与画与无声的音乐。是的，我说的已多了；我不必将我所见的，一个人一个人分别说给你，我只将她们融合成一个 Sketch①给你看——这就是我的惊异的型，就是我所谓艺术的女子的型。但我的眼光究竟太狭了！我的眼光究竟太狭了！

在女人的聚会里，有时也有一种温柔的空气；但只是笼统的空气，没有详细的节目。所以这是要由远观而鉴赏的，与个别的看法不同；若近观时，那笼统的空气也许会消失了的。说起这艺术的"女人的聚会"，我却想着数年

---

① 英文：素描。

前的事了，云烟一般，好惹人怅惘的。在 P 城一个礼拜日的早晨，我到一所宏大的教堂里去做礼拜；听说那边女人多，我是礼拜女人去的。那教堂是男女分坐的。我去的时候，女座还空着，似乎颇遥遥的；我的遐想便去充满了每个空座位里。忽然眼睛有些花了，在薄薄的香泽当中，一群白上衣，黑背心，黑裙子的女人，默默的，远远的走进来了。我现在不曾看见上帝，却看见了带着翼子的这些安琪儿了！另一回在傍晚的湖上，暮霭四合的时候，一只插着小红花的游艇里，坐着八九个雪白雪白的白衣的姑娘；湖风舞弄着她们的衣裳，便成一片浑然的白。我想她们是湖之女神，以游戏三昧，展现色相于人间的呢！第三回在湖中的一座桥上，淡月微云之下，倚着十来个，也是姑娘，朦朦胧胧的与月一齐白着。在抖荡的歌喉里，我又遇着月姊儿的化身了！——这些是我所发现的又一型。

是的，艺术的女人，那是一种奇迹！

一九二五年二月十五日，白马湖。

女性与音乐

丰子恺

男性是种子,

女性是土壤,

音乐的花从种子发出,

受土壤的滋养而荣华。

女性与音乐，一见谁也相信是接近的。例如自来文学上"女"与"歌"何等关系密切；朱唇与檀板何等联络；soprano（女子唱的最高音部）在合唱中地位何等重要；总之，女性的优美的性格与音乐的活动的性质何等类似。照这样推想起来，世界最大的音乐作家应该让女性来当，乐坛应该教女性来支配；至少音乐作家中应该多女子；再让一步，至少音乐界中应该有女子。可是我把脑中所有的西洋音乐史默数一遍，非但少有女性的大作曲家，竟连一个 miss 或 mistress 也没有，无论作曲家或演奏家。我觉得很奇怪，总疑心我脑中所有的音乐史，不详或不正。但我记得前年编《音乐的常识》的时候，曾经考求过所有的已往的及现存的有名的音乐大家的传叙，而且因为要编述，查考得很精到，不是走马看花的。一向不注意到这问题，倒也不知不觉；现在一提起，真觉得有些奇怪了。这样与音乐有密切关系的女性，难道在音乐史上默默无闻的？我终于不敢信托我的记忆，又没有勇气和时间来搜索这个疑案的底蕴。

近来我患寒疾，卧了七八天，已经好快，医生说要避风，禁止我一礼拜不许出房。实在我的精神已经活动了，怎耐得这监禁呢？于是在床上海阔天空地回想，重番想到了女性与音乐的问题。于是把所有的音乐史拿到床里来，一本一本地，从头至尾地翻下去。自十八世纪的古典音乐的罢哈（Sebastian Bach）起，直到现在生存着，活动着的未来派音乐家欣陪尔许（Arnold Schönberg）止，统共查考了一百八十个音乐家的传叙。结果，发见其中只有一人是女性的音乐家。这女人名叫霍尔梅斯（Augusta Mary Anne Holmès，1847—1903），是生长于巴黎的爱尔兰人，在欧洲是不甚著名的一个女流作曲家，在东洋是不会有人晓得的。其余一百七十九个都是男人。关于演奏家，留名于乐史的不但一个也没有，而且被我翻着了一件不大有趣的话柄：匈牙利有一个当时较有名的女 pianist（洋琴演奏家），有一晚在一个旅馆的 hall 中开演奏会，曲目上冒用当时匈牙利最有名的演奏家（在音乐史上也是最有名的音乐家之一）李斯德（Liszt）女弟子的头衔以号召听众。凑巧李斯德这一晚演奏旅行到这地方，也宿在这旅馆中。他得知了有冒充他的女弟子的演奏家，就于未开会时请她到自己的房间里来，对她说："我是李斯德。"那女子又惊骇又羞惭，伏在地上哭泣。李斯德劝她起来，请她在自己房里的洋琴上弹一曲，看见她手法很高，称赞她的技术，又指教了她几句，就对她说："不妨了！现在你真是李斯德的弟子了！"教她照旧去开会。那女子感激得泣下。……这并不是我有意提出来嘲笑女性，不过事实如此；而且现在我是专门在音乐史上找女人，这件事自然惹我的注意了。

闲话休题。音乐史上没有女性的 page，实在是值得人思量的问题，尤其是在病床中的我。我把书翻了许久，想了许久，后来好像探得了一个导向解决的线索。这就是我在音乐大家的传记中发见了许多与女性有深关系的事迹，就恍然悟到了女性与音乐的关系的状态。这等事迹是甚么呢？第一惹我注意的，是自来的大音乐家幼时受母教者之多的一事。我手头所有的关于音乐家传记的书又少又不详，我没有委细考查过所有的音乐家的详细事略，只是就比较的记录得详细的世界第一流的音乐家的传记一翻，已是发现了十余个幼时受母或姊等的音乐教育的人。列举起来，如：

（1）近世古典乐派的大家亨代尔（Handel），幼时从母亲受音乐教育。

（2）俄国近代交响乐作家史克里亚平（Scriabin）的母亲是女 pianist。

（3）披雅娜（piano）大家晓邦（Chopin）的母亲是波兰人，晓邦多承受母的气质，其音乐作品中泛溢着亡国的哀愁。

（4）歌剧改革者挪威人格里克（Grieg）幼时从母亲习披雅娜。

（5）俄国现代乐派大家漠索尔斯奇（Moussorgsky）幼时从母亲习音乐，他的有名作品《少年时代的记忆》（*Reminiscences of Childhood*）就是奉献于其亡母的灵前的。

（6）俄国国民乐派五大家之一的罢拉基莱夫（Balakireff）幼时学音乐于其母。

（7）又五大家之一的李漠斯奇·可尔萨可夫（Rimsky-Korsakoff）幼时的音乐教育，多赖其母的留意。

（8）俄国音乐家亚伦斯奇（Arensky），其父母都长于音乐，幼时全从父母习音乐。

（9）美国音乐家却特微克（Chadwick）的母亲长于音乐。

（10）现在正是三十四岁壮年的民谣作家澳洲人格林茄（Percy Aldridge Grainger）幼时从其母学披雅娜。

（11）俄国现代乐派大家格拉左诺夫（Glazounow）的母亲是五大家之一的罢拉基莱夫的弟子，格拉左诺夫幼时学披雅娜于母。

（12）法国交响乐诗人杜襃西（Debussy）幼时学音乐于晓邦的弟子的女音乐家。

（13）现代世界最大的乐剧家华葛内尔（Wagner）幼时习音乐于其姊。

以上所举，都是世界第一流的音乐家。我记得在文学家，绘画家的传叙中，母教的例决不像音乐家的多。独有音乐家都受母教，这一定是有原因的。从此可以推知女性的性质近于音乐学习，女性善于音乐感染。

第二惹我的注意的，是自来音乐大家的多恋史，及其恋人所及于其艺术的影响之大的一事。世界上最大的音乐家中，除了一生没有恋爱而以童身终其身的短命天才修倍尔德（Schubert）及家有悍妻的罕顿（Haydn）二人不与女性发生多大关系以外，其他的差不多统有奇离颠倒的恋史，而由恋的烦恼中酿出其伟大的作品。讲到举例，我就立刻想到裴德芬的"不朽的宠人"。

裴德芬的作《月光曲》，据传说是裴德芬一晚到一个皮鞋匠家里，看见一个盲目的女子在月光下弹披雅娜，因而作出的。这事的详情已见本年一月号的《新女性》上。但是，老实说，这种传说完全是假的。实际上，这曲是裴德芬为了对他的恋人奇理爱塔（Gaillieta）的热烈的恋情而作的。这曲的原名为 Sonata quasi una Fantasia，即《幻想曲风的朔拿大》。而且在初版上，分明注着"此曲奉献于奇理爱塔"字样。《月光曲》的名目，及那传说，全是后人臆造的，裴德芬自己全不晓得。据说这名目是出版业者为了要推广销路而杜造的，那故事当然也是他们捏造出来。不过后世所以沿用这名称，流传这故事，而明知不改者，并非全然无理。只为那曲的情趣，颇类似月上之夜的光景；伴着这奇离的故事，可以惹起习音乐者的注意，而对于小孩子，尤足以引诱其对于音乐的兴味，所以听其沿用与传诵。这是题外的话，详见我所著《音乐的常识》，兹不赘述。现在我要说的，是裴德芬一生对于恋爱的态度的猛烈。他所有的恋人很多，他称之为"不朽的宠者"，他平日劳心于少女的一笑一颦。据他的朋友理斯说，理斯租住在有三个美丽的姑娘的一家裁缝店里面时，裴德芬每天来访问他。

其次浮到我脑际的，是法国的交响乐诗人裴辽士（Berlioz）的"多磨恋爱"。（stormy love，多磨两字是我戏用的。好事多磨，声音与意义都相近。）他的一生是恋的连续，我记不出详细的颠末来。择其最大者述之，就是关于他的不朽的名作《幻想交响乐》（Symphonie Fantasie）的故事。据说当时英国有个著名的女优名叫史密苏的，以善演莎翁剧名震剧坛。素来欢喜文学而崇敬沙翁的裴辽士，看见了史密苏扮演可怜的渥裴利亚的剧，起了热烈的恋慕。但史密苏以裴辽士当时只是一贫乏的音乐学徒，眼中全然看不上。于是裴辽士单恋的结果，产出了一幅《幻想交响乐》。其后他又与别的女子发生新恋，那女子又背了他，嫁另一男子。裴辽士曾改装作女子，怀了手枪，想去复仇，自己也拼个最后。继而在途中见了大自然风光的美丽，悟到了自己的光明的前途，就排除一切愤懑，而埋头于作曲了。研究之中，增删修改其可怀念的《幻想交响乐》，开自作演奏会，在旧恋人史密苏面前演奏她自己作女主人公的《幻想交响乐》，强烈地摇动了史密苏的心，她终于与他结婚了。结婚之后，夫妻又不睦，服毒，离婚，……不知发生了多少奇离的事件。结果，记录单恋的《幻想交响乐》就当作成绩留传于世界。据他自己说那曲所描写的是失恋的青年吞服鸦片，以量少而自杀不遂，陷于深眠时的心情状态。

世界最大的音乐家，有恋史的很多。尤其是近世浪漫乐派的人们。浪漫乐派中最有名的修芒（Schumann），有恋人克拉拉（Clara），他的名作，都产生于其与克拉拉的美丽的恋爱时代，新婚时代，这是稍关心于音乐的人们所共知的。还有晓邦，恋爱的多不亚于裴辽士，有"模范恋人"的称呼。还有前述的遇见冒充弟子的女演奏家的李斯德，据说差不多是色情狂者。他所教的学生全是女子，不要男学生。每教毕一个成绩好的女学生，在她额上亲一个吻，教那女学生也吻他的手，习以为常。所以他父亲临终的时候,曾谆谆地嘱咐他说:"留心!女性将颠覆你的生涯!"

以上所提出的音乐家的恋史,是其荦荦大者。我觉得艺术家中与女性的交涉最深者,无过于音乐家了。诗人中也有像拜轮,雪莱等有风波恋爱的人,然似不及音乐者中的多;在画家中,竟好像个个是规矩人,即有恋史,也是平易的,这一点,又使我深深地注意到音乐艺术的"与女性有特别交涉"的特性。

最后我翻到近世大乐才华葛内尔(Wagner)的女性赞美的记录,就更彻悟女性与音乐的关系了。华葛内尔也是平生多恋史的人。但他的对于女性,有一种特别的看法;他极端地崇拜女性,有"久远的女性"的赞美语。他以为女性偶有的缺点,犹之音乐中偶有的"不协和音",统是harmony(和谐)的源泉。据说他的夫人是不懂音乐的,他欢喜蓄鹦鹉,有友人对他说:"这岂不是嘈杂的伴侣么?"他回答说:"不然,热闹不是有趣的么?我家的夫人不会弹披雅娜,鹦鹉是代替她唱唱的。"这句急智的话中,实在藏着深刻的暗示呢!关于"久远的女性",他在给友人乌利许(Uhlig)的信中这样说着:

柔性的优美的心伴着我,我的艺术常常滋荣了。世间的刚性都被卷入滔滔的俗潮里的时候,女性常是不失其优情,因为在她们的心灵中宿着柔和与湿润。所以女性是人生的音乐。她们对于无论何事都用真心来容纳，无条件地肯定，用她们的热烈的同情来使它们美化。

当我对于刚性早已不能感到一点叹美与眩耀的时候，对于女性还屡屡感到有迫我向眩耀恍惚的境地去的一物。

看到我所创的事业（华葛内尔的乐剧）渐渐结实，功果渐渐伟大起来，而能抚慰人心而使之高尚的时候，人们只知感奋欢喜而已。独不知探寻起基础来，这等都是"久远的女性"的所赐。充盛威严的光辉及人生的温暖的愉快于我的心灵中的，只有"久远的女性"。湿润地发光辉的女子的眸子，屡屡用清新的希望来使我饱和。

"女性是人生的音乐！"不错！我悟得了，女性本身就是音乐！男性的裴德芬，华葛内尔，是为女性作音乐的；是从女性受得灵感，拿女性为材料而作出音乐的。故在音乐，男性是创造的，女性是享用的。男性是种子，女性是土壤，音乐的花从种子发出，受土壤的滋养而荣华。人们只注意于这是某种子开出的花，而不知道花是受土壤的滋养，在土壤上繁荣，而为土壤所有的。这样一想，自来音乐家的多受母教，多恋史，自来女性的性质的接近于音乐，女性的善于音乐感染，自来音乐艺术的与女性有特别关系，在这里都可推知其原由；而自来的音乐作家的都是男性而没有女性，在这里也可知道其是当然的事，而不足怪了。

久远的女性！文化生活的最上乘的艺术中的最优秀的音乐，是你们所有的！这是何等光荣的事！愿你们自爱！

民国十五年①冬至，为《新女性》作。

---

① 即1926年

女子装饰的心理

萧红

现在一班新进的女子,
大都不饰脂粉,
以太阳光下的红黑色肤色的天然风致为美了。

装饰本来不仅限于女子一方面的，古代氏族的社会，男子的装饰不但极讲究，且更较女子而过之。古代一切狩猎氏族，他们的装饰较衣服更为华丽，他们甘愿裸体，但对于装饰不肯忽视。所以装饰之于原始人，正如现在衣服之于我们一样重要。现在我们先讲讲原始人的装饰，然后由此推知女子装饰之由来。

原始人的装饰有两种，一种是固定的为黥刨文身、穿耳、穿鼻、穿唇等；一种是活动的，就是连系在身体上暂时应用的，如带缨、钮子这类，他们装饰的颜色主要的是红色，他们身上的涂彩多半以赤色条绘饰，因为血是红的，红色表示热烈，具有高度的兴奋力。就是很多的动物，对于赤色，也和人类一样容易感觉。原始人的生活大多是狩猎和战争，于猎事及战争极兴奋的时候，往往可见到血，这足以使红色有直接感觉，有强烈的情绪的联系。其次是黄色，也有相当的美感，也为原始人所采用，再是白色和黑色，但较少采用，他们装饰所选用的颜色，颇受他们的皮肤的颜色所影响，如白色和赤色对于黑色的澳洲人颇为采用，他们所采用的颜色是要与他们皮肤的颜色有截然分别的。

至于原始人对于装饰的观念怎样呢？他们究竟为什么要装饰？又为什么要这样装饰呢？这就谈到了他们装饰的心理问题了。

我们大概会惊异于他们这种重视装饰的心理罢，如黥身是他们身体装饰中最痛苦的，用刀或铁箭在身上刺成各种花纹，有的且刺满全身，他们竟于忍受痛苦而为其人的勇敢毅力的表示。而这种忍受，大都是为了装饰美观，极少含有其他作用。少年男女到了相当年龄，便执行着这种苦刑，而以为荣。以为假如身上没能刺刻着花纹，则将来很难找到爱侣。至于活动的装饰，如各种环缨之类的佩戴物，则一方表示他们勇敢善战，不懦怯，一方面是引起异性的爱悦，因为他们都以勇敢善斗为荣。身上所佩戴的许多珍贵的装饰物，表示他们的富有，是以勇敢夺得或猎取来的。总之，原始人装饰的用意，一方是引起异性爱悦，一方是引起他人的敬畏。事实上，各种装饰是兼具此两种意义的，这实在是生存竞争中不可少和有效的工具。由这些情形看来，在原始社会中男子的装饰较女子讲究，也是因为原始社会的人民，没有确定的婚姻制度，无恒久的配偶，而女子在任何情形中都有结婚的机会，男子要得到伴侣，比较困难，故必须用种种手段以满足其欲望。

但在文明社会中，男女关系与此完全相反，男子处处站在优越地位，社会上一切法律权利都握在男子手中，女子全居于被动地位。虽然近年来有男女平等的法律，但在父权制度之下，女子仍然是受动的。因此，男子可以行动自由，女子至少要受相当的约制。这样一来，女子为达到其获得伴侣的欲望，因此也要藉种种手段以取悦异性了。这种手段，便是装饰。

装饰主要的用意，大都是一方以取悦于男性，一方足以表示自己的高贵。脸上敷着白粉，红脂，口红，蔻丹等。刚才说过红色是原始人用作装饰的主要颜色，红白相称特别鲜明，不独引人注目，亦以表示其不亲劳动的身份。故牙齿既然是白的，口唇必须涂红。西洋妇女脸上涂橘黄色的粉，这是表示他们的富有，因为夏天海滨避暑为海风吹拂脸颊成黄色。白色最能显示脸部和身体的轮廓，原始人跳舞往往在夜间昏昏的灯光和月色之下，用白色把身体上涂成条纹，使身体轮廓显明，易为人注目。妇女用红白二色饰脸部，也是利用其颜色鲜明，且红色其热烈性，易使人感动。中国少女结婚时多穿红衣红裙，大概不外这个意义。

女子装饰亦随社会习惯而变迁。昔人的观念，以柔弱娇小为美，故女子束腰裹脚之风盛行，有"楚王好细腰，宫中多饿死"者的惨事。近来体育发达，国人观念改变，重健康，好运动，女子以体格壮健肤色红黑为美。现在一班新进的女子，大都不饰脂粉，以太阳光下的红黑色肤色的天然风致为美了。黑色太阳镜之盛行，不外表示其常常外出的习惯而已。

（本文原载 1936 年 10 月 29 日至 30 日《大沪晚报》第 7 版）

妇女谈话

庐隐

不问是男是女,

都要一样的栽培……

缠足

缠足，是一种顶坏的风俗，把一双四平八稳的脚，缠成弓形，脚面高起好像骆驼背峰。走起路来扭扭捏捏，既不方便，又不好看。而且有害于身体的健康，妨碍血脉的流通。缠足简直只有害处没有益处。城市的妇女，多半整天不做事情，靠人服侍，而缠足还感到种种的苦痛；何况乡村妇女，每天早晚到地里做粗重的工作，缠足岂不更苦吗？乡村的妇女呵！赶紧起来做放足的运动吧！！

不识字的妇人

有一个乡下人，带着他儿子到外县去做生意，家里只剩下婆媳两人。他们父子二人在外头做生意很好，要找一个人帮忙；又怕外县的人靠不住，打算从本乡找一个人来，恰好店里有个伙计要回去，他们就托他带一封信，里头写着"忙雇一人"。婆媳两人接到这信，一字不识，睁着两对瞎眼，十分着急。

她们忽然想起城隍庙住着一个算命先生，他是认得字的；于是她儿媳妇赶忙拿着信去请教他。那里知道这位算命先生专门认别字，他把"忙雇一人"看成"亡过一人"。于是摇头叹息说："唉！可怜！可怜！大嫂告诉不得你呢！"那妇人一听急了，忙央求道："先生是怎么一回事呢？请早说吧！"算命先生说道："你公公和你丈夫不是在外头做生意吗？不知他两人谁死了，信上只说亡过一人。"那妇人一听，心想不知是谁死了，但两个人一个都死不得，这怎么好呢？不免急得放声大哭。

到了家里，把这话对婆婆说，婆婆也急了，两人抱头痛哭了一场，然后在门前挑起丧幡来，就等着棺材运回来办事。这一天那个伙计又要到外县去，打算去讨个回信，不想走到门口，看见丧幡，吓得也没进去，就忙忙走了，到了店里，把这消息告诉了他们父子二人，也是吓了一跳，不知道那一个死了，因忙着赶回家去，一进门只见婆媳两人都好好的。她们婆媳两人也糊涂了，心想这是怎么回事。后来说明缘故，才晓得是吃了不识字的苦。可见妇女识字是极要紧的，不然，做个睁眼瞎子，不知道要吃多少苦呢！

乡村的母亲们

乡村的儿童，天天和自然的山水、森林、田亩接近，所以多半比城里的儿童活泼壮健。不过乡村的母亲们，忙于耕种和纺织，竟忘记教育子女的责任。随他们放荡，关于整洁、礼貌，种种好习惯，从小就没养成。所以乡村的儿童，都变成肮脏粗野的样子了。

乡村的母亲们，如果希望你们的孩子长大了，是一个整齐、诚实、健全的人，那么在他们小的时候，就应当注意他们的教育。

起居要有秩序，衣服要整洁，饮食要干净，待人要诚实。除此以外，还要使儿童进学校，学技能，不问是男是女，都要一样的栽培，如此国家才有好国民。乡村的母亲们，你们的责任真大呢！

乡村的母亲们要注意儿童的教育

我们走到乡村里，常常看见一群一队的儿童，都仿佛刚从泥窑里出来，满身满脸都是泥垢，叫人见了真不痛快。但他们一双灵活的眼珠，满含着天真活泼的神气，使我们相信孩子都是好的、可爱的，而他们所以变成这样污浊的原因，是母亲没有教育他们，没有养成他们的好习惯。还有些孩子嘴里说着下流话——这些话在他们纯洁的头脑里，未必明白那些话的意思，不过听见大人说，他们就照样的学。所以孩子虽都是好的、可爱的，而因为没有人引导他们到好的地方去，渐渐变成不好的、不可爱的了。直到他们大了，不知道做人应当怎样做，并且小时已经养成坏习惯，后来就是有人指正他，也不容易改了。所以乡村的妇女们，对于儿童的教育要非常留意！

迷信

钱大嫂因为丈夫病了，心里十分焦急，可是她不去请医生来诊治，一天到晚，东庙烧香，西庙拜佛。她丈夫的病愈来愈重，她听说城隍庙的菩萨最灵，她就跑到那里求签，并讨些神前的香灰，用冷水化开给她丈夫喝下去。那晓得她丈夫本是因为吃了不干净的东西泻肚子，怎禁得起这一杯不干净的香灰水，不到半夜已经一命归阴了，钱大嫂抚着丈夫的尸身哭道："皇天菩萨不睁眼，我这样虔诚拜佛许愿，还是不保佑！"唉！这种妇女多么可怜！她不知道生病是要请医生治的，只迷信神佛，结果把她丈夫的命送了。

和睦

俗语说得好："和气生财。"所以和睦，实在是一种美德。一家人能和睦，就是一家的幸福；一国人能和睦，就是一国最大的幸福；全人类能和睦，就是全人类最大的幸福。一家人和睦，就没有兄弟相争，妯娌姑嫂怄气的种种事情发生，人人一心一计的过日子，精神上自然很舒服很快乐。一国人能和睦，就可以免除许多内战。像现在的中国，常常闹兵祸，就是因为不和睦，今天你打我，明天我打你，打得大家都受灾殃。至于世界种种的战争，也都是起于不和睦，所以能和睦，就享福无限；不能和睦，就受罪没完。

但是和睦的两个字，说起来容易，做起来很难，第一件要自己不愿意的，不加到别人身上；自己愿意的，也要想到别人。大家都能这样做去，自然什么意见都可以化除，大家相亲相爱了。

我们要谋全人类的和睦，不能不先谋一国人的和睦。要谋一国人的和睦，不能不谋一家的和睦。所以一家人和睦，实在是人类和睦的根本。

谋一家的和睦，妇女们要负更大的责任，因为妇女们是主持家政者，一个主妇，很有转移家运的能力。如果是一个贤明的主妇，可以使父母慈爱，子女孝敬，兄弟姊妹相友爱，妯娌姑嫂如骨肉；能如此，这个家庭还怕不兴旺吗？

然而一般乡下妇女，多不明这种道理，常是姑说嫂短，嫂挑姑错，妯娌如仇人，婆媳似冤家，闹得一家门乌烟瘴气，整天好像敌人相见，心里那有一时一刻是平定的，怎么说得上"幸福"二字呢？所以乡村的妇女们，若果要享受家庭的幸福，先要努力家庭的和睦。家庭人既和睦，然后推至国家人类，无处不充满祥和之气了。

恶婆婆

张大嫂在田里分插秧苗，抬头看见李大嫂擦眼抹泪，张大嫂放下秧苗，走过来说："李大嫂，你为什么事这么委曲？"李大嫂流泪叹息道：

"唉！家有恶婆婆，专门寻找错，自从到她家，没一天好日子过！

"三朝新妇下厨房，煮饭砍柴不敢慢，殷勤小心来服侍，还是难讨婆喜欢！

"今天嫌我饭太烂，明天说我菜太咸，怒眉恶眼指着我骂，那管新媳妇的羞颜！

"小姑脾气太刁钻，闲来只把是非搬，不说嫂嫂长，便诉嫂嫂短，婆婆暴性譬如火，那堪火上将油添，门杠扁担一齐下，打在身上如雨点。

"大嫂大嫂听我说，隍下媳妇真难过！"

张大嫂听完了，想起从前自己做媳妇的苦楚，也跟李大嫂差不多，现在算是熬出来了，自己也做了婆婆，想到这里，心中忽觉得十分惭愧，因为她昨夜曾毒打她的媳妇："这实在是太残忍！儿媳妇也是人家的女儿，并且自己也有女儿，将来也免不了要做人家的媳妇，若果真疼爱自己的女儿，就应当疼爱媳妇……"她想到这里，便对李大嫂说："大嫂，你不要伤心了，这是一代一代传下来的坏习惯，我们现在既已受了这个罪，以后我们好好的待我们的媳妇，给她们一个好习惯，使我们的儿女孙辈不要再受我们这样的苦处吧！"

乡村妇女应注意家庭卫生

人生最苦痛的事情就是身体不健康，无论有什么本事都要因病痛而埋没了，俗语说得好，"留得青山在，不怕没柴烧"，所以只要有了健康的身体，什么艰苦都能挣扎，什么事情都有勇气去干了。

我们要使得一个人有健壮的身体，平日的衣食起居都要注意卫生。家庭是人们衣食起居的唯一处所，那末家庭卫生的重要，也就可想而知了。

家庭卫生可以分下列各方面来说：

（一）饮食的卫生　人不能离开饮食而生活，所以人们对于饮食的卫生不可不注意。饮食的品料只要能滋养人，不必求山珍海味，烹调只要求其容易消化，不必定求新奇。此外最要注意的是不新鲜不清洁的东西决不可吃，至于吃的分量和时候，最好也有一定。这几层如果都能做到，就可免去"病从口入"的危险了。

（二）衣服的卫生　　衣服用以保护人的体温，是人生不可少的东西，所以衣服的卫生也是不可不讲究。衣服最要注意的是时时洗换，常放在日光下晒晾，使皮肤的毛细管所排泄出来的秽物，不至再黏在皮肤上，以致塞住毛细管，失掉了排泄作用，血脉因而不流通，一定要生疾病。

（三）住室的卫生　　住室的卫生也和饮食衣服的卫生一样的重要。室中空气一定要流通，床帐被褥一定要时常洗换，室内的布置整齐干净，使人住在里头很舒服，不但可以恢复一天到晚操劳的疲倦，还可以少生疾病。

（四）厕所的卫生　　厕所在家庭里也是占很重要的地位，谁家能够不用厕所呢？但是厕所是污浊的地方，蚊蝇成群结队飞集在粪尿上，最容易传染病菌，如果不把厕所扫除干净，粪坑用盖盖严，使臭气不至外泄，那真是危险极了。

以上几点都是家庭卫生最重要的事情，主持家政的妇女们所应当注意的,尤其是乡村妇女们所应当注意的。因为我们往往看见许多乡间妇女不懂得家庭卫生,衣服许久不洗换,被褥也是整年不拆洗。饮食也不管生熟冷热,干净不干净,拿起来就吃。住室和厕所,更是不讲究了,小孩子随便在屋里地下大小便。这真是太不卫生了!希望乡村的妇女们,快些改善你们的生活,注意你们的家庭卫生,然后你们才可以享受到家庭的幸福呢。

(本文原载1930年11月中华平民教育促进会《平民读物》初版)

谈家庭

沈从文

男女实需要"合作",
不必"对立"。

时代也许不同了一点，三十岁左右有教养的绅士，好像都知道"礼貌"代替"热情"，来处理近身事情。尤以与一个女人办交涉时，礼貌多而热情少，大家既"客气"得多，也似乎都"安全"得多。这种对女人的态度，自然可说是社会一种进步。不过因此一来，在某种情形下，也可能产生许多问题。问题之一说来一定为男人不相信，女人不承认，即多多少少增加了一点"妇女问题"的复杂性。

谈及妇女问题时，大家当然都明白问题的出发点是由于男女在生活方面的不平等，为争求平等，所以发生问题。象征平等是女子得到男子所能得到的一切，知识、权力和社会地位。争解放成为一个动人的名词：因为必解放方得到一切。要求大，纠纷多，当然不容易解决。谁也不会把这件事从一个较新观点来解释解释，认为一部分人争解放只是想要一个家而得不到，或有了个家又太不像家，因此有问题。解决它并不十分困难，还是从"家"着手！

女子不承认这件事是很显然的，正因为提起这个问题加以分析讨论时，她们之中大多数就并不明白自己本性上的真正需要是什么。除非她有了个很好的家以后，在习惯下她照例不会承认和一个男子同组成的家有何意义，有何必要。男子不相信事更显明，因为不相信，所以一讨论到妇女问题时，总以为是女子要违反生物的习惯，社会的习惯，在不可能情形中，一切希望同男子一样。胆小而胡涂的且相信不久天下所有女子当真会同男子一样。这"凡事一样"，对向上言自然还好，若学男子堕落，岂不糟糕。学男子聪明能干，自然还好，若学男子胡涂，岂不可怕？许多男子或由于关心她们的未来，或由于担心自己的未来，所以一谈及这问题时，照例就不大公平，有点偏见和成见。不是用顽固家长神气骂女子，要她们回家，就是用胡涂丈夫神气说女子，要她们回家。（最少是用懂事朋友口吻，劝她们好好的去布置一个家。）父亲不明白女儿离开原有家庭出走是为什么，（说不定正是为需要个年纪青性情投的男子另外成一种家。）丈夫不知道妻子要独立是为什么，（说不定正是目下的家不像个家！）所以问题永远不接头。既疏忽了事实，自然尽在名词上争持，她说"应该"，他说"不许"；她说"偏要"，他说"胡闹"。俨然相互吵架，吵到末了，只是增加男女对立现象，毫无是非可言。

这"不承认"和"不相信"，在女子由于意识蒙眬不自觉，在男子则由于胡涂不更事，使妇女问题转趋复杂，直到国家特意来设一妇女部处理它。妇女部注意的方面，从表面说当然都是很重要的事情。不过妇女部中将来若在某一厅某一处有个小小位置，让几个通人性有知识的专家，来从男女性心理方面入手，假定男女实需要"合作"，不必"对立"，试做一种研究，所得结果也许可望比整个妇女部所做的活动还有意义，有价值。

有一件事很有意思，是朋友某夫妇，战事前在北平共同的家庭，被熟人称模范家庭。先是两人各在南北不同大学里念书，一个是抽象妇女解放论者，二十岁左右时，就主张"独身主义"，且写了许多妇女问题文章。一个是抽象反对妇女解放论者，二十四岁时，就以诅骂女子中的伪自由主义为事，以为女子必需在家中，在厨房，不适宜到社会上参加任何工作。两人笔下都很好，因此就为妇女问题在报纸杂志上大作其文章。照习惯名为"妇女问题讨论"，事实上只是吵架而已。吵了一阵，到两人的文章都可以集印成厚厚的一本书时，还是毫无结果。三年以后，各人都从学校毕了业，到了北平，有个好事朋友恰好同双方认识，也在北平，因此介绍他们见了面。见面认识之初，比较客气，自然还是要讨论，有争持，立场不同，观点不同，不免参商。印象上女的以为男的看不起女人，非常难受，心怀不平。男的呢，却认为当前一个同许多受点大学教育女子差不多，知识有限，幻想极多，好虚荣而十分浅薄。总而言之，就是互相都缺少尊敬。可是时间久了点，认识多了点，情形稍稍不同了一点。另外那个好事朋友，平时只写点小说，调动纸上人物，人情有他的必然性，以为这人如此那人即必然如彼,忽然对两人"吵架"发生了兴趣,不知是偶然还是有意,某一次却告给那女子,说男的觉得她长得很美丽,风度温雅,在熟人中实在少见。过不久,那朋友就怂恿男的请女的吃茶,事后又转达女的所得印象于男的,说对于他的美术爱好和文学知识丰富,是件新的发现。不消说,这全是在"妇女问题讨论"范围以外的事!话虽平平常常,当面说来近于应酬客气,一经转述,情形可就不同得多了。再过一阵,两人见面时有一阵子沉默了。(这沉默的意义两人似乎不大明白,惟有第三者清清楚楚。)再过不久,两人又重新争吵起来,但所争吵的事已由大而小,由抽象而具体,转为女人衣服颜色的配置与男子客厅家具布置,原来他们快要订婚了。虽争吵,女的再不觉得被轻视,男的也再不觉得对方浅薄好虚荣,这一切都好像成为"过去"了。结婚后两人很要好,日子过得十分美满。因为机会方便,男的在某研究机关作事,女的在某银行作事。到那时节女的再不写文章反对家庭,男的也再不怀疑女子服务能力,中国的妇女问题,至少在这一对伴侣方面,便不用反复讨论,似乎不成问题了。一年多后他们有了个小孩,女的竟自动放弃了银行工作,在家中做了一个真正的贤妻良母。当女的决意放弃银行工作时,那男的反而觉得可惜,试想想,这变更有多大!我为什么说起这个故事?就因为我便是当时调解了这无结果的争吵的好事者。我觉得很快乐,为的是如果我在这件事上若弄笔头抄书本来写一本十万字的新书,结果不过是多那么一本书籍，供同调者援引，异己者批判，增加问题的纷乱。我放下了笔，倒很简单在两人生活上完成一件工作，说明这问题解决的另外一种方式。

一件事当然不足以概全体，但这个例子倒很可在当前一部分读书人方面应用。把一切抽象理论引导到事实上来，"讨论"或"运动"，不宜与事实相去太远，方可望得到解决。我以为一个家如果还像个家，凡是身心健康的女子，不会觉得可怕的。一件事如果还像一件事，凡是头脑清楚的男子，也不会觉得反对的。问题之起居多恐怕是受了点现代高等教育的男女，对于一个"家"的抽象知识与具体知识，都不大充分，所以他们结果只好作作文章，再照文章来把问题扩大，纠纷增多，解决不知从何着手。

我的意思是家庭如果近于一只鸟儿的一个窠，重要用处是伏卵育雏，而伏卵育雏既如自然派定一分庄严重要工作，义务中必然即包含快乐幸福的源泉。一个家如果像个窠，软和温暖之外，还相当清洁美丽，在关系上又不大复杂，（鸟类在这方面远比人聪明，多是小家庭制度！）为女性乐意，实在是件自然不过的事情。说女子对它感到厌恶，不近人情，同时还违反生理基础。其中自然也有少数特别的，即一部分男性十足的女子，在生理上有点变态，在行为上只图摹仿男子，当然不需要家。其次是身心不大健康，体貌上又有缺点的女子，要家而得不到一个家的，她必然会说家是种无意义的组织。这两种人在社会上是个比较少数,并非多数。这两种人必需到社会上去做各种活动发展,方能填补生命的空虚。这事既对于她们本人有意义,对社会当然也有益无害,为的是如此一来,可以减少许多女子由于婚姻不遂而产生的神经病!我们对这种人实不用勉强找寻理由,逼她们回转家庭,正因为这些人即乐意有个家庭,社会是帮不了忙的。三十年后解决这问题也许可望由医生来处置,从药物或营养方面加以补救,使这些女子的女性正常,身体与情绪同样发育正常,而又可以成一个家。不能单凭空洞理论及一群既少热情又无能力语言无味面目可憎的男子作为候补丈夫,就可将所有女人完全送回家中。

就社会多数而言,男子在这问题上若真以为女子应当从家中发展,对家多发生一点兴趣,多负分责任,似乎需要放下名词上纠缠的习惯,莫尽驾空说理,且努力来安排一个家。这个家若适宜于发展母性本能,又无悖乎作主妇的尊严,问题是简单的。我们不能徒说贤妻良母是男子的理想,应当说男子如何来学做一个模范丈夫,方可望女子乐其家室,达到女子的理想。据我想来,一般男子都还需要更多一点教育,学得对女子多有一分了解,(因为她们自己是永远不能了解自己母性的伟大的!)多有一分体贴,(因为她们最需要的就是体贴!)如此一来,妇女运动者会改变一个方向,从"对立"的形式一变而为"合作"的要求,也未可知。

所以谈起妇女问题时，问题或许在彼而不在此，在两性对于"家"的看法，由义务感与生命稳定安全感而变为享乐感自私成分增多，似进步实退化，从期望说为日益贴近事实，从生活说为日益违反自然。如何变更这个家的观念，应当是关心妇女问题的人一种努力，且应当成为国家设计机关（譬如说民族心理学院）专家一种重要工作。

由"家"而引起个人对于"人"的印象与感想，认为很是一个问题，即无论男女，"热情"的缺乏是种普遍现象。在有教养的绅士中，都以装成炉火纯青不问事不作事四平八稳为理想君子，在年青男女中，则做什么都无精神，不兴奋，即在最切近的男女关系事件上，也毫无热情可言。一面表现少年老成，一面即表现生命力不旺盛。许多人活下来生命都同牛粪差不多，俨然被一种不可抗的命定聚成一堆，燃烧时无热又无光。虽然活下来，意义不过是能延长若干时候而已。因此营养改造和两性手续重新处理，不仅是文学家的事，也应当是科学家的事。科学家可做的事，可能尽的力尤其多。然而我提起这个问题处理方式时，一定将有人当成笑话。因为在政治上或男女关系上，目下似乎都流行一种风气，即用一个宦寺阴柔风格来活动，从阿谀、驯顺、虚伪、见技巧，为时髦人生观。玩政治的一部分小丑清客，尤多此种现象，生命力的融金铄石，与求真进取心，都成禁忌，被限制，有日趋萎缩情形。凡一问题超越习惯的心与眼，从一较新观点注意的意见，在清客式的论客看来，都无一不将成为笑话。

（本文原载1940年10月1日《战国策》第13期）

结婚典礼

梁实秋

我们能否有一种简便的节俭的合理的愉快的结婚仪式呢?

结婚这件事，只要成年的一男一女两相情愿就成，并不需要而且不可以有第三者的参加。但是《民法》第八百九十二条规定要有公开仪式，再加上社会的陋俗（大部分似"野蛮的遗留"），以及爱受洋罪者的参酌西法，遂形成了近年来通行于中上阶级之所谓结婚典礼，又名"文明结婚"，犹戏中之有"文明新戏"。婚姻大事，不可潦草，单凭父母之命媒妁之言就把一对无辜男女捏合起来，这不叫做潦草；只因一时冲动而遂盲目的订下偕老之约，这也不叫潦草；惟有不请亲戚朋友街坊四邻来胡吃乱叫，或不当众提出结婚人来验明正身，则谓之曰潦草，又名不隆重。假如人生本来像戏，结婚典礼便似"戏中戏"，越隆重则越像。这出戏定期开演，先贴海报，风雨无阻，"撒网"敛钱，鼎惠不辞；届时悬灯结彩，到处猩红；在音乐方面则或用乞丐兼任的吹鼓手，或用卖仁丹游街或绸缎店大减价的铜乐队，或钢琴或风琴或口琴；少不了的是与演员打成一片的广大观众，内中包括该回家去养老的，该寻正当娱乐的，该受别种社会教育以及平时就该摄取营养的……演员的服装，或买或借或赁，常见的是蓝袍马褂及与环境全然不调和的一身西装大礼服，高冠燕尾，还有那短得像一件斗篷而还特烦两位小朋友牵着的那一橛子粉红纱！那出戏的尾声是，主人的腿子累得发麻，客人醉翻三五辈，门外的车夫一片叫嚣。评剧家曰："很热闹！"

这戏的开始照例是证婚人致词。证婚人照例是新郎的上司，或新娘家中比较拿得出来最像样的贵戚。他的身份等于"跳加官"，但他自己不知道，常常误会他是在做主席，或是礼拜堂里的牧师，因此他的职务成为善颂善祷，和那些在门口高叫"正念喜，抬头观，空中来了福禄寿三仙……"的叫化子是异曲而同工！他若是身通"国学"，诗云子曰的一来，那就不得了，在讲《易经》阴阳乾坤的时候，牵纱的小朋友们就非坐在地上不可，而在人丛后面伸长颈子的那位客人，一定也会把其颈项慢慢缩回去了。我们应该容忍他，让他毕其辞，甚而至于违着良心的报之以稀稀拉拉的掌声。放心，他将得意不了几次！

介绍人要两个，仿佛从前的一男媒一女媒，其实是为站在证婚人身旁时一边一个，较有对称之美。介绍人宜于是面团团一团和气，谁见了他都会被他撮合似的。所以常害胃病的，专吃平价米的都不该入选。许多荣任介绍人的常喜欢当众宣布他们只是名义上的介绍人，新郎新娘是早已就……好像是生恐将来打离婚官司时要受连累，所以特先自首似的。其实是他多虑。所谓介绍，是指介绍结婚，这是婚书上写得明明白白的，并不曾要他介绍新郎新娘认识或恋爱，所以以前的因误会而恋爱和以后的因失望而反目,其责任他原是不负的。从前俗语说,"新娘搀上床,媒人扔过墙",现在的介绍人则毋须等待新娘上床便已解除职务了。

新郎新娘的"台步"是值得注意的,从这里可以看出导演者的手法。新郎应该像是一只木鸡,由两个傧相挟之而至;应该脸上微露苦相,好像做下什么坏事现在败露了要受裁判的样子,这才和身份相称。新娘走出来要像蜗牛,要像日移花影,只见她的位置移动,而不见她行走,头要垂下来,但又不可太垂,要表示出头和颈子还是连着的,扶着两个煞费苦心才寻到的不比自己美的傧相,随着一派乐声,在众目睽睽之下,由大家尽量端详。礼毕,新娘要准备迎接一阵"天雨粟",也有羼杂粮的,也有带干果的,像冰雹似的没头没脸的打过来。有在额角上被命中一颗核桃的,登时皮肉隆起如舍利子。如果有人扫拢来,无疑的可以熬一大锅"腊八粥"。还有人抛掷彩色纸条,想把新娘做成一个茧子。客人对于新娘的种种行为,由品头论足以至大闹新房,其实在《刑法》上都可以构成诽谤、侮辱、伤害、侵入私宅和有伤风化等等罪名的,但是在隆重的结婚典礼里,这些丑态是属于"撑场面"一类,应该容许!

曾有人把结婚比做"蛤蟆跳井"——可以得水,但是永世不得出来。现代人不把婚姻看得如此严重,法律也给现代人预先开了方便的后门或太平梯之类,所以典礼的隆重并不发生任何担保的价值。没有结过婚的人,把结婚后幻想成为神仙的乐境,因此便以结婚为得意事,甘愿铺张,惟恐人家不知,更恐人家不来,所以往往一面登报"一切从简",一面却是倾家荡产的"敬治喜筵",以为诱饵。来观婚礼的客人,除了真有友谊的外,是来签到,出钱看戏,或真是双肩承一喙的前来就食!

我们能否有一种简便的节俭的合理的愉快的结婚仪式呢?这件事需要未婚者来细想一下,已婚者就不必多费心了。

PART 4

一种节烈观

我之节烈观

鲁迅

节烈难么?答道,很难。

节烈苦么?答道,很苦。

不节烈便不苦么?答道,也很苦。

女子自己愿意节烈么?答道,不愿。

"世道浇漓,人心日下,国将不国"这一类话,本是中国历来的叹声。不过时代不同,则所谓"日下"的事情,也有迁变:从前指的是甲事,现在叹的或是乙事。除了"进呈御览"的东西不敢妄说外,其余的文章议论里,一向就带这口吻。因为如此叹息,不但针砭世人,还可以从"日下"之中,除去自己。所以君子固然相对慨叹,连杀人放火嫖妓骗钱以及一切鬼混的人,也都乘作恶余暇,摇着头说道,"他们人心日下了。"

世风人心这件事,不但鼓吹坏事,可以"日下";即使未曾鼓吹,只是旁观,只是赏玩,只是叹息,也可以叫他"日下"。所以近一年来,居然也有几个不肯徒托空言的人,叹息一番之后,还要想法子来挽救。第一个是康有为,指手画脚的说"虚君共和"才好,陈独秀便斥他不兴;其次是一班灵学派的人,不知何以起了极古奥的思想,要请"孟圣矣乎"的鬼来画策;陈百年钱玄同刘半农又道他胡说。

这几篇驳论,都是《新青年》里最可寒心的文章。时候已是二十世纪了;人类眼前,早已闪出曙光。假如《新青年》里，有一篇和别人辩地球方圆的文字，读者见了，怕一定要发怔。然而现今所辩，正和说地体不方相差无几。将时代和事实，对照起来，怎能不教人寒心而且害怕？

近来虚君共和是不提了，灵学似乎还在那里捣鬼，此时却又有一群人，不能满足；仍然摇头说道，"人心日下"了。于是又想出一种挽救的方法；他们叫作"表彰节烈"！

这类妙法，自从君政复古时代以来，上上下下，已经提倡多年；此刻不过是竖起旗帜的时候。文章议论里，也照例时常出现，都嚷道"表彰节烈"！要不说这件事，也不能将自己提拔，出于"人心日下"之中。

节烈这两个字，从前也算是男子的美德，所以有过"节士""烈士"的名称。然而现在的"表彰节烈"，却是专指女子，并无男子在内。据时下道德家的意见，来定界说，大约节是丈夫死了，决不再嫁，也不私奔，丈夫死得愈早，家里愈穷，他便节得愈好。烈可是有两种：一种是无论已嫁未嫁，只要丈夫死了，他也跟着自尽；一种是有强暴来污辱他的时候，设法自戕，或者抗拒被杀，都无不可。这也是死得愈惨愈苦，他便烈得愈好，倘若不及抵御，竟受了污辱，然后自戕，便免不了议论。万一幸而遇着宽厚的道德家，有时也可以略迹原情，许他一个烈字。可是文人学士，已经不甚愿意替他作传；就令勉强动笔，临了也不免加上几个"惜夫惜夫"了。

总而言之：女子死了丈夫，便守着，或者死掉；遇了强暴，便死掉；将这类人物，称赞一通，世道人心便好，中国便得救了。大意只是如此。

康有为借重皇帝的虚名，灵学家全靠着鬼话。这表彰节烈，却是全权都在人民，大有渐进自力之意了。然而我仍有几个疑问，须得提出。还要据我的意见，给他解答。我又认定这节烈救世说，是多数国民的意思；主张的人，只是喉舌。虽然是他发声，却和四支五官神经内脏，都有关系。所以我这疑问和解答，便是提出于这群多数国民之前。

首先的疑问是：不节烈（中国称不守节作"失节"，不烈却并无成语，所以只能合称他"不节烈"）的女子如何害了国家？照现在的情形，"国将不国"，自不消说：丧尽良心的事故，层出不穷；刀兵盗贼水旱饥荒，又接连而起。但此等现象，只是不讲新道德新学问的缘故，行为思想，全钞旧帐；所以种种黑暗，竟和古代的乱世仿佛，况且政界军界学界商界等等里面，全是男人，并无不节烈的女子夹杂在内。也未必是有权力的男子，因为受了他们蛊惑，这才丧了良心，放手作恶。至于水旱饥荒，便是专拜龙神，迎大王，滥伐森林，不修水利的祸祟，没有新知识的结果；更与女子无关。只有刀兵盗贼，往往造出许多不节烈的妇女。但也是兵盗在先，不节烈在后，并非因为他们不节烈了，才将刀兵盗贼招来。

其次的疑问是：何以救世的责任，全在女子？照着旧派说起来，女子是"阴类"，是主内的，是男子的附属品。然则治世救国，正须责成阳类，全仗外子，偏劳主体。决不能将一个绝大题目，都阁在阴类肩上。倘依新说，则男女平等，义务略同。纵令该担责任，也只得分担。其余的一半男子，都该各尽义务。不特须除去强暴，还应发挥他自己的美德。不能专靠惩劝女子，便算尽了天职。

其次的疑问是：表彰之后，有何效果？据节烈为本，将所有活着的女子，分类起来，大约不外三种：一种是已经守节，应该表彰的人（烈者非死不可，所以除出）；一种是不节烈的人；一种是尚未出嫁，或丈夫还在，又未遇见强暴，节烈与否未可知的人。第一种已经很好，正蒙表彰，不必说了。第二种已经不好，中国从来不许忏悔，女子做事一错，补过无及，只好任其羞杀，也不值得说了。最要紧的，只在第三种，现在一经感化，他们便都打定主意道："倘若将来丈夫死了，决不再嫁；遇着强暴，赶紧自裁！"试问如此立意，与中国男子做主的世道人心，有何关系？这个缘故，已在上文说明。更有附带的疑问是：节烈的人，既经表彰，自是品格最高。但圣贤虽人人可学，此事却有所不能。假如第三种的人,虽然立志极高,万一丈夫长寿,天下太平,他便只好饮恨吞声,做一世次等的人物。

以上是单依旧日的常识,略加研究,便已发现了许多矛盾。若略带二十世纪气息,便又有两层:

一问节烈是否道德?道德这事,必须普遍,人人应做,人人能行,又于自他两利,才有存在的价值。现在所谓节烈,不特除开男子,绝不相干;就是女子,也不能全体都遇着这名誉的机会。所以决不能认为道德,当作法式。上回《新青年》登出的《贞操论》里,已经说过理由。不过贞是丈夫还在,节是男子已死的区别,道理却可类推。只有烈的一件事,尤为奇怪,还须略加研究。

照上文的节烈分类法看来,烈的第一种,其实也只是守节,不过生死不同。因为道德家分类,根据全在死活,所以归入烈类。性质全异的,便是第二种。这类人不过一个弱者(现在的情形,女子还是弱者),突然遇着男性的暴徒,父兄丈夫力不能救,左邻右舍也不帮忙,于是他就死了;或者竟受了辱,仍然死了;或者终于没有死。久而久之,父兄丈夫邻舍,夹着文人学士以及道德家,便渐渐聚集,既不羞自己怯弱无能,也不提暴徒如何惩办,只是七口八嘴,议论他死了没有?受污没有?死了如何好,活着如何不好。于是造出了许多光荣的烈女,和许多被人口诛笔伐的不烈女。只要平心一想,便觉不像人间应有的事情,何况说是道德。

二问多妻主义的男子,有无表彰节烈的资格?替以前的道德家说话,一定是理应表彰。因为凡是男子,便有点与众不同,社会上只配有他的意思。一面又靠着阴阳内外的古典,在女子面前逞能。然而一到现在,人类的眼里,不免见到光明,晓得阴阳内外之说,荒谬绝伦;就令如此,也证不出阳比阴尊贵,外比内崇高的道理。况且社会国家,又非单是男子造成。所以只好相信真理,说是一律平等。既然平等,男女便都有一律应守的契约。男子决不能将自己不守的事,向女子特别要求。若是买卖欺骗贡献的婚姻,则要求生时的贞操,尚且毫无理由。何况多妻主义的男子,来表彰女子的节烈。

以上,疑问和解答都完了。理由如此支离,何以直到现今,居然还能存在?要对付这问题,须先看节烈这事,何以发生,何以通行,何以不生改革的缘故。

古代的社会,女子多当作男人的物品。或杀或吃,都无不可;男人死后,和他喜欢的宝贝,日用的兵器,一同殉葬,更无不可。后来殉葬的风气,渐渐改了,守节便也渐渐发生。但大抵因为寡妇是鬼妻,亡魂跟着,所以无人敢娶，并非要他不事二夫。这样风俗，现在的蛮人社会里还有。中国太古的情形，现在已无从详考。但看周末虽有殉葬，并非专用女人，嫁否也任便，并无什么裁制，便可知道脱离了这宗习俗，为日已久。由汉至唐也并没有鼓吹节烈。直到宋朝，那一班"业儒"的才说出"饿死事小失节事大"的话，看见历史上"重适"两个字，便大惊小怪起来。出于真心，还是故意，现在却无从推测。其时也正是"人心日下，国将不国"的时候，全国士民，多不像样。或者"业儒"的人，想借女人守节的话，来鞭策男子，也不一定。但旁敲侧击，方法本嫌鬼祟，其意也太难分明，后来因此多了几个节妇，虽未可知，然而吏民将卒，却仍然无所感动。于是"开化最早，道德第一"的中国终于归了"长生天气力里大福荫护助里"的什么"薛禅皇帝，完泽笃皇帝，曲律皇帝"了。此后皇帝换过了几家，守节思想倒反发达。皇帝要臣子尽忠，男人便愈要女人守节。到了清朝，儒者真是愈加利害。看见唐人文章里有公主改嫁的话，也不免勃然大怒道，"这是什么事！你竟不为尊者讳，这还了得！"假使这唐人还活着，一定要斥革功名，"以正人心而端风俗"了。

国民将到被征服的地位，守节盛了；烈女也从此着重。因为女子既是男子所有，自己死了，不该嫁人，自己活着，自然更不许被夺。然而自己是被征服的国民，没有力量保护，没有勇气反抗了，只好别出心裁，鼓吹女人自杀。或者妻女极多的阔人，婢妾成行的富翁，乱离时候，照顾不到，一遇"逆兵"（或是"天兵"），就无法可想。只得救了自己，请别人都做烈女；变成烈女，"逆兵"便不要了。他便待事定以后，慢慢回来，称赞几句。好在男子再娶，又是天经地义，别讨女人，便都完事。因此世上遂有了"双烈合传"，"七姬墓志"，甚而至于钱谦益的集中，也布满了"赵节妇""钱烈女"的传记和歌颂。

只有自己不顾别人的民情，又是女应守节男子却可多妻的社会，造出如此畸形道德，而且日见精密苛酷，本也毫不足怪。但主张的是男子，上当的是女子。女子本身，何以毫无异言呢？原来"妇者服也"，理应服事于人。教育固可不必，连开口也都犯法。他的精神，也同他体质一样，成了畸形。所以对于这畸形道德，实在无甚意见。就令有了异议，也没有发表的机会。做几首"闺中望月""园里看花"的诗，尚且怕男子骂他怀春，何况竟敢破坏这"天地间的正气"？只有说部书上，记载过几个女人，因为境遇上不愿守节，据做书的人说：可是他再嫁以后，便被前夫的鬼捉去，落了地狱；或者世人个个唾骂，做了乞丐，也竟求乞无门，终于惨苦不堪而死了！

如此情形，女子便非"服也"不可。然而男子一面，何以也不主张真理，只是一味敷衍呢？汉朝以后，言论的机关，都被"业儒"的垄断了。宋元以来，尤其利害。我们几乎看不见一部非业儒的书，听不到一句非士人的话。除了和尚道士，奉旨可以说话的以外，其余"异端"的声音，决不能出他卧房一步。况且世人大抵受了"儒者柔也"的影响；不述而作，最为犯忌。即使有人见到，也不肯用性命来换真理。即如失节一事，岂不知道必须男女两性，才能实现。他却专责女性；至于破人节操的男子，以及造成不烈的暴徒，便都含糊过去。男子究竟较女性难惹，惩罚也比表彰为难。其间虽有过几个男人，实觉于心不安，说些室女不应守志殉死的平和话，可是社会不听；再说下去，便要不容，与失节的女人一样看待。他便也只好变了"柔也"，不再开口了。所以节烈这事，到现在不生变革。

（此时，我应声明：现在鼓吹节烈派的里面，我颇有知道的人。敢说确有好人在内，居心也好。可是救世的方法是不对，要向西走了北了。但也不能因为他是好人，便竟能从正西直走到北。所以我又愿他回转身来。）

其次还有疑问：

节烈难么？答道，很难。男子都知道极难，所以要表彰他。社会的公意，向来以为贞淫与否，全在女性。男子虽然诱惑了女人，却不负责任。譬如甲男引诱乙女，乙女不允，便是贞节，死了，便是烈；甲男并无恶名，社会可算淳古。倘若乙女允了，便是失节；甲男也无恶名，可是世风被乙女败坏了！别的事情，也是如此。所以历史上亡国败家的原因，每每归咎女子。糊糊涂涂的代担全体的罪恶，已经三千多年了。男子既然不负责任，又不能自己反省，自然放心诱惑；文人著作，反将他传为美谈。所以女子身旁，几乎布满了危险。除却他自己的父兄丈夫以外，便都带点诱惑的鬼气。所以我说很难。

节烈苦么？答道，很苦。男子都知道很苦，所以要表彰他。凡人都想活；烈是必死，不必说了。节妇还要活着。精神上的惨苦，也姑且弗论。单是生活一层，已是大宗的痛楚。假使女子生计已能独立，社会也知道互助，一人还可勉强生存。不幸中国情形，却正相反。所以有钱尚可，贫人便只能饿死。直到饿死以后，间或得了旌表，还要写入志书。所以各府各县志书传记类的末尾，也总有几卷"烈女"。一行一人，或是一行两人，赵钱孙李，可是从来无人翻读。就是一生崇拜节烈的道德大家，若问他贵县志书里烈女门的前十名是谁？也怕不能说出。其实他是生前死后，竟与社会漠不相关的。所以我说很苦。

照这样说，不节烈便不苦么？答道，也很苦。社会公意，不节烈的女人，既然是下品；他在这社会里，是容不住的。社会上多数古人模模糊糊传下来的道理，实在无理可讲；能用历史和数目的力量，挤死不合意的人。这一类无主名无意识的杀人团里，古来不晓得死了多少人物；节烈的女子，也就死在这里。不过他死后间有一回表彰，写入志书。不节烈的人，便生前也要受随便什么人的唾骂，无主名的虐待。所以我说也很苦。

女子自己愿意节烈么？答道，不愿。人类总有一种理想，一种希望。虽然高下不同，必须有个意义。自他两利固好，至少也得有益本身。节烈很难很苦，既不利人，又不利己。说是本人愿意，实在不合人情。所以假如遇着少年女人，诚心祝赞他将来节烈，一定发怒；或者还要受他父兄丈夫的尊拳。然而仍旧牢不可破，便是被这历史和数目的力量挤着。可是无论何人，都怕这节烈。怕他竟钉到自己和亲骨肉的身上。所以我说不愿。

我依据以上的事实和理由，要断定节烈这事是：极难，极苦，不愿身受，然而不利自他，无益社会国家，于人生将来又毫无意义的行为，现在已经失了存在的生命和价值。临了还有一层疑问：

节烈这事，现代既然失了存在的生命和价值；节烈的女人，岂非白苦一番么？可以答他说：还有哀悼的价值。他们是可怜人；不幸上了历史和数目的无意识的圈套，做了无主名的牺牲。可以开一个追悼大会。

我们追悼了过去的人，还要发愿：要自己和别人，都纯洁聪明勇猛向上。要除去虚伪的脸谱。要除去世上害己害人的昏迷和强暴。

我们追悼了过去的人，还要发愿：要除去于人生毫无意义的苦痛。要除去制造并赏玩别人苦痛的昏迷和强暴。

我们还要发愿：要人类都受正当的幸福。

一九一八年七月。

曹大家《女诫》驳议

胡适

前面不是说了一种"愚妇政策"吗?

那里知道还有一种"弱妇政策"呢?

我们中国女界中，有一个大罪人，就是那曹大家。这位曹大家，姓班名昭，他做了一部《女诫》，说了许多卑鄙下流的话。列位要晓得，他这部《女诫》，虽然我们的姊姊妹妹们，大半没有读过，然而几千年来，那许多男子，都用这《女诫》的说话，把来教育我们的姊姊妹妹，把来压制我们的姊姊妹妹，所以他那区区一部《女诫》，便把我们中国的女界生生的送到那极黑暗的世界去了，你想我怎好不来辩驳一番呢！有的人说："铁儿先生，你何苦把几千年后的新思想，去责备那几千年前的古人呢！"我说："是的，我并不敢责备古人，不过我要把这些道理辩白一番，好教那些顽固的人，不致借这《女诫》来做护身符，这便是我的区区微意了。"

卑弱第一

你看这《女诫》的开宗明义章第一，便是卑弱，怪不得几千年来，总没有女权的希望了。唉！

> 古者生女，三日，卧之床下，弄之瓦砖而斋告焉。卧之床下，明其卑弱，主下人也；弄之瓦砖，明其习劳，

主执勤也；斋告先君，明当主祭祀也。

这一段文章，是曹大家引用《诗经》上说的话儿，那《诗经》上说："乃生女子，载寝之地，载衣之裼，载弄之瓦。"看官要晓得，那《诗经》一部书，乃是古时圣贤采访四方的风俗歌谣，因而辑成一部大书，即如这一篇诗所说的话，在做书的人本意，不过要教人晓得某地有这么一种重男轻女的风俗，他的本意，只有望人改良的意思，并不教人依着他行。譬如那《诗经》上说的"期我乎桑中，要我乎上宫，送我乎淇之上！"难道他真个要人做这些淫奔的事吗？又如"子不我思，岂无他人！""子不我思，岂无他士！"这二句诗，淫极了，难道他真个教人做这种"□□□□"，□□□吗？可见《诗经》上说的，不过说某处有某样的风俗罢了，不料这位曹大家，不懂诗人的命意，便以为古人都是卑视女子的了，可不是大错了吗？至于"斋告先君，明当主祭祀也"这句话，更容易明白了。你想古人最重祭祀，断不会使那卑弱下人的人去主祭祀，可见古人并不卑视女子，不过曹大家不懂得罢了。

三者盖女人之常道，礼法之典教矣。

上面一段，说明白了，这一节，也不用驳了。

谦让恭敬，先人后己，有美莫名，有恶莫辞。

这几句话，都是平常人应该做的事，倒也罢了。

忍辱含垢。

这四个字，不通极了。我们中国的女子教育，开口就是节，闭口便是烈，这节烈二字的意思，就是说那女子的品行名誉，断不可有什么玷污。如果有了一些羞辱垢污，总要洗得干干净净，明明白白，不然，那就算不得节烈了。怎么这位曹大家倒要教人忍辱含垢呢！难道曹大家还不赞成那些节妇烈女和那些有气节的女丈夫么！不通，不通。

常若畏惧。

这话更不通了，畏惧谁呢！天下的人，只有一个理字，是应该畏惧的，只须我自己行止动作，上不愧天，下不愧人，自己对得住自己，就是了，何必怕人呢？所以孔夫子说："君子坦荡荡"，坦荡荡就是无所畏惧的意思。大凡君子人，行事只求合理，自然坦荡荡的，无所畏惧，其实又何必畏惧呢？

是谓卑弱下人也。

说人家卑视女子，倒也罢了，不料这位曹大家，却要自己把女子看得比奴隶还不如，开口便是卑弱，便是下人。

唉，伤心啊！

> 晚寝早作，勿惮夙夜，执务私事，不辞剧易，所作必成，手迹整理，是谓执勤也。

曹大家既以卑弱下人自居，故有这些话，其实这些事并没有错，而且没有什么大关系，不说他也罢了。

> 正危端操，以事夫主。

此一事也。

> 清静自守，无好戏笑。

此一事也。

> 洁齐酒食，以供祖宗。

此又一事也。

> 是谓继祭祀也。

上面所说的，事夫是一件事，无好戏笑又是一件事，供祖宗又是一件事，怎么糊糊涂涂的总结一句："是谓继祭祀也",别说道理讲不过去,单讲文章,也就不通了。

> 三者苟备,而患名称之不闻,黜辱之在身,未之见也。

上面说:"有善莫名",怎么又说:"患名称之不闻"呢!上面说:"忍辱含垢",怎么又说:"患黜辱之在身"呢!上面说的是呢?这里说的是呢?矛盾,矛盾。

> 三者苟失之,何名称之可闻,黜辱可远哉!

我想上面说的:"常若畏惧",大约是畏惧这"名称之不闻"和这"黜辱之在身"了。唉!卑鄙极了。

夫妇第二

> 夫妇之道,参配阴阳,通达神明,信天地之弘义,人伦之大节也。

何等郑重,曹大家于此一节,颇知注意,总算是有点阅历的话了。

> 是以礼贵男女之际,诗著关雎之义,由斯言之,不可不重也。

班昭居然晓得"不可不重"的道理，也算难得了，但是"礼贵男女之际"，那《礼记》上说"婿执雁入，揖让升堂，再拜奠雁，降出御妇车，而婿授绥，御轮三周，先俟于门外，妇至，婿揖妇以入，共牢而食，合卺而醑，所以合体同尊卑，以亲之也。"（昏义）那《礼经》上何尝一定说男尊女卑的话呢？即如《诗经》那《关雎》一篇所说的"琴瑟友之，钟鼓乐之"何等乐趣，又何尝有男尊女卑的制度呢？我想曹大家的为人，一定是"读书不求甚解"的，不然，为什么说那些不通的话呢？

夫不贤则无以御妇，妇不贤则无以事夫。

哈哈！曹大家也讲起平等来了，你想这两句话，不是很平等吗？不是很有点抵抗性质的吗？桀纣无道，汤武便去征伐他，为什么呢？因为"君不贤则无以临民"，所以便要讨他的罪，如今曹大家是承认，"丈夫可以御妇的"了。看官要记清，那个"御"字，有驾御的意思，管理的意思，便和皇帝治民的治字差不多了。皇帝不贤尚且可杀可去，丈夫不贤，便失了丈夫的资格，做妻子的，可以抵抗他，所以这"夫不贤则无以御妇"八个大字，正是泰西各国离婚律法的一大原理。不料曹大家这么一个卑鄙的人，也会有这种理想，这就很难得了。但是上面用一个"御"字，就和马夫赶马，车夫推车一般，下面用一个"事"字，是服侍的意思，就和下官服侍上司，奴才伏侍主人一般，两两比较起来，还是大不平等，可见曹大家一定是一个没见识没魄力的女子了。唉！

> 夫不御妇则威仪废绝。

又来了，曹大家的意思，一定要使做丈夫的个个都要正其衣冠尊其瞻视，每日把脸放下来，和阎罗王一般，才算个丈夫，否则便是威仪废绝了。唉！天下那有这种卑贱的女子呵！

> 妇不事夫则义理堕阙。

从前有一种大不通的话，说"妇人伏于人也"，你想这话天理何在？人道何在？后来的女子，便应该极力推翻这种谬论，争一口气儿才是正理，怎么这个曹大家竟把这个"事"字当做"义理"一般看待，从此以后，怪不得那女界永永没有翻身的希望了。人家骂人"认贼作子"，这个曹大家简直是认贼作父了。唉！

> 方斯二者，其用一也。

这个用字，怎么讲呢？

> 察今之君子，徒知妻妇之不可不御，威仪之不可不整，

故训其男,检以书传,殊不知夫主之不可不事,义理之不可不存也,但教男而不教女,不亦蔽于彼此之数乎?

这一段很有关系,列位千万不可轻轻放过。

从前有一位秦始皇,并了六国,一统天下,做了皇帝。他既做了皇帝了,心中总恐怕人家来夺他的君权,后来他便想了一条绝妙计策,叫做愚民政策。怎么叫做愚民政策呢?原来那秦始皇把天下的书籍尽行搜刮出来,一把火烧得干干净净,又掘一个大坑,把天下的读书人,都叫来,一塌刮剌仔都活埋在这个土坑里面了。书是烧了,读书的人是活坑了,那些百姓自然一天一天的变成无知无识的蠢东西了。百姓愚蠢了,自然没有人来夺他的皇位了。看官,这便叫做"愚民政策",不料我们中国的男子,也便用了他这种计策,把来待那女子,因为男子和女子,本来是平等的,后来因为那种野蛮的部落时代,互相竞争,不能不看重气力,女子的体魄,本来是稍微弱一些的,又有几种天然困难,所以讲起战争气力起来,女子便不如男子。从此以后,社会上的大权,便渐渐的归到男子掌握之中,但是那些男子,既然掌了社会上的大权,享了社会上的大福,那心中自然和秦始皇一样,也恐怕女子的智识发达了,便要作那不平之鸣,那男子便不能大权独享了。所以那些男子,便出许多方法,不令那些女子读书识字,一面便把那些男子,礼哪!乐哪!射御哪!书数哪!教育得完完全全的,一面便教那女子，烹饪哪！女红哪！却总不叫他受那完全的教育。从此以后，男子的智识学问体魄，一天长似一天；那女子的智识学问体魄，便一天衰似一天。所以那男子的权力，越发大了，所享的幸福，越发大了，那蠢蠢无灵的女子，断不致来争权了，这便叫做愚妇政策。这位曹大家，也便是受了这种愚妇政策的，不料他虽然读了书，却还不懂这种道理，不晓得这个教男不教女，正是大不平等的地方，糊糊涂涂的说一句："不亦蔽于彼此之数乎"，可不是说梦话吗？可不是说梦话吗？

还有一层，你看这一段说话，什么"徒知妻妇之不可不御，威仪之不可不整"，什么"夫主之不可不事"，那一句不是助纣为虐，那一句不是卑鄙污下。唉！唉！

礼，八岁始教之书，十五而至于学矣，独不可依此以为则哉！

十五而至于学矣！这个"矣"字不通。

敬慎第三

这"敬慎"二字，本来是很好的名词，但是曹大家所说的敬慎，和那第一章所说的卑弱是一个样儿的，列位不可不知。

阴阳殊性，男女异行，阳以刚为德，阴以柔为用，男以强为贵，女以弱为美。

我看见人家说这"敬慎"二字，也不知看见多少了，孔子孟子，朱子程子，都说过的，但是总没有看见这样说法的，你看曹大家竟把这"敬慎"二字，硬派作女子独有的品性。哈哈！难道孔子朱子所说的敬慎，都是为女子说法吗？都是为这"柔弱"二字说的吗？这不是岂有此理吗？

故鄙谚有云："生男如狼，犹恐其尪，生女如鼠，犹恐其虎。"

我读这几句话，差不多要哭出来了。我哭的是那"犹恐其尪"的恐字，这个恐字，是恐怕的意思，说"生了男子，已是狼一般强壮了，还恐怕他要尪弱下去；生了女子，已是鼠一般柔弱了，还要恐怕他渐渐变成虎一般的强壮。"列位，你看这个恐怕的恐字，可不是伤心吗？我刚才在前面不是说了一种"愚妇政策"吗？那里知道还有一种"弱妇政策"呢？怎么叫做弱妇政策呢？当初秦始皇，他行了那愚民政策，他还不满意，他又把天下的兵器，什么刀哪！剑哪！枪哪！戟哪！都收拢起来，一古脑儿，都把来熔化了，铸成了十二个金人，他以为这样做去，那百姓的能力，自然衰弱了，将来无论受怎样的压制，再也不会起来抵抗了，这便是弱民政策。如今这个弱妇政策，也是这个意思。

那些女子，虽然受了愚妇政策，那些男子，还恐怕他们会强壮起来，或者真个要起来抵抗他们，所以他们又不能不行这种弱妇的手段，把那些女子，禁锢起来，不使他们见天日，又不使他们运动运动（到了后世，便行了那缠足的恶俗，这都是这个缘故呵）。那女子的体魄，自然一天一天的衰弱起来了；那男子体魄，天天讲什么射哪御哪礼哪乐哪！自然一天一天强壮了，从此以后，那女子的权力天天缩小了，那男子的权力，天天膨胀了，越发不平等了。列位看报的人呵！我这一段说话，便是"生男如狼，犹恐其尪；生女如鼠，犹恐如虎"。这四句话的原理，因为"犹恐其尪"，所以天天去培养他；因为"犹恐其虎"，所以天天去摧折他。你想这个恐字，可不是极伤心的吗？可不是极伤心的吗？咳！

然则修身莫若敬，避强莫若顺。

上一段，我所说的是男子对待女子的手段。这里曹大家所说的两句话，是曹大家劝女子自己对待男子的手段。上句"修身莫若敬"倒也罢了，下一句"避强莫若顺"，你想这不是卑鄙下贱吗？俗语道得好："兵来将挡，水来土掩"，这是一定的道理，那些男子如果用强权来压制女子，就该正正当当和他抵抗，有何不可？何必避呢？如果女子不去和他抵抗，那么他们自然要得尺进尺得寸进寸了。古人说："以顺为正者，妾妇之道也"，可见古人是很瞧不起这个"顺"字的,我从前说过的,天下只有一个理,是应该畏惧的,我们只要依着理行去,还怕什么呢?又何必躲避呢?还有一层,如果这句"避强莫若顺"是合理的,那么古来那许多殉节守贞的节妇烈妇,他们都是不肯"顺"的了,都是不肯避强的了,难道这些节妇烈妇都不合理吗?所以这句"避强莫若顺"是大不通的。

> 故曰:"敬慎之道,妇之大礼也。"

上两句驳过了,这两句也不用驳了。

> 夫敬非他,持外之谓也;夫顺非他,宽裕之谓也。持久者,知止足也;宽裕者,尚恭下也。

这一段检直是十分不通了,且让我把这几句话,用算学记号写成一个式子如下:

敬 = 持久　持久 = 知止足　∴ 敬 = 知止足
顺 = 宽裕　宽裕 = 尚恭下　∴ 顺 = 尚恭下

这六个式子,除那"顺 = 尚恭下"一条,尚有一二分讲得过去,此外五条,检直没有一句通的。你想,天下那有这种讲书的,把"敬"字作"持久"解,要是果然如此,那敬便是持久,那孔子何必又要说:"久而敬之"呢!至于把"持久"作"知止足"解，更不通了。又如那个"顺"字，又怎样等于"宽裕"呢。上人待下人谓之宽裕；下人伏侍上人谓之顺，这不是浅而易见吗？

文章不通到这个地位，我却不懂几千年来的女界，何以都把他奉作金科玉律，总没有人敢批驳他一句，可见得这种做古人奴隶的性质，害人不浅呢！

夫妇之好，终身不离，房室周旋，遂生黩媟。

这四句话，虽是平平常常，尚还没有什么错，古人也很明白这个道理，所以说："夫妇相敬如宾"，也只为防这"黩媟"二字起见。曹大家却不大懂这个相敬如宾这个"相"字的用意。须知这个"相"字，是"你敬我我敬你"的意思，若是一边一味卑下，一边一味尊严，那便不算相敬，那便失了这个"相敬如宾"的本意了。

黩媟既生，语言过矣，语言既过，纵恣必作，纵恣既作，则侮夫之心生矣。

这些话，在曹大家的意思，全是为妇人一方面说法，所以说什么"纵恣"，什么"侮夫"，这都是没有明白"夫妇相敬如宾"那个"相"字的原故，也不必一句一句的来驳了。

此由于不知止足者也。

又来了，这一段是"敬＝知止足"那一条的解说，试问曹大家所说的"止足"，是以什么地步为限制，到了什么地步，方可算"止足"呢？难道伏伏贴贴的，得其夫的一顾一盼，曹大家便以为"止足"了吗？哈哈！

夫事有曲直，言有是非，直者不能不争，曲者不能不讼，讼争既施，则有忿怒之事矣，此由于不尚恭下也。

这话又是岂有此理了。我从前说"君子坦荡荡"无所畏惧，只依着"公理"而行，这是一定之理，不料这个曹大家，却要教人处处阿谀谄媚，不论是非曲直，只可顺从，不可反对。你想天下那有这种道理，难道丈夫做强盗做贼，做妻子的都不应谏阻吗？丈夫忤逆不孝，弑君弑父，做妻子的都只好听他吗？甚至于丈夫把妻子卖给人家为妾为娼，难道也只好顺从吗？哈哈！要照曹大家的意思说来，那古人说的"内助"到底助什么呢？古人说的"家有贤妻，男人不遭横祸"，又是什么道理呢？古人说的"以顺为正者，妾妇之道也"。既然说"以顺为正"自然有个"以不顺为权变"的反面文章在里面，若照曹大家这话说去，岂是妾妇之道，检直是娼妓之道了。唉！唉！

侮夫不节，谴呵随之，忿怒不止，楚挞从之。夫为夫妇者，义以和亲，恩以好合。楚挞既行，何义之存，谴呵既宣，何恩之有，恩义俱废，夫妇离矣。

哈哈，曹大家说了许多话，原来是怕骂的，原来是拍打的，原来是怕离婚的。列位同胞姊妹们，请看看古代的野蛮制度，那汉儒胡诌乱吹的编了一个七出之条，说什么"多言去""无子去""妒去"……你想"无子"便要出妻，可不是混帐吗？至于那"多言去"一条，更没道理了。"妒去"一条，尤为无理。即为曹大家所说"义以和亲，恩以好合"，"和好"之中，自然容不得第三个人了。自从这个七出之条通行之后，可怜那些女子，连话都不敢多说一句，曹大家也便是这些女子之一人，唉，可怜虫呵，可怜虫呵。

妇行第四

女有四行：一曰妇德；二曰妇言；三曰妇容；四曰妇功。

此《礼记》原文也。

夫云妇德，不必才明绝异也。妇言，不必辩口利辞也。妇容，不必颜色美丽也。妇功，不必功巧过人也。清闲贞静，守节整齐，行己有耻，动静有法，是谓妇德。择辞而说，不道恶语，时然后言，不厌于人，是谓妇言。盥浣尘秽，服饰鲜洁，沐浴以时，身不垢辱，是谓妇容。专心纺绩，不好戏笑，洁齐酒食，以奉宾客，是谓妇功。此四者，女人之大德，而不可乏之者也，然为之甚易，惟在存心耳。

古人有言：仁远乎哉，我欲仁斯仁至矣，此之谓也。

此一章看上去似乎没什么可驳之处，其实列位看官，如果细细读去，总觉得有无限可怜的意思含在里面，这是什么缘故呢！唉，我很巴望同胞姊妹们仔细想想罢。

专心第五

礼，夫有再娶之义，妇无二适之交。

唉，看官须要认明这个"礼"字，这个"礼"是古时一班"男子"，以自私自利之心来定这部"礼"，他所说的话，全是男子一方面的话。从前有位女豪杰，很有思想的，说"当时若使周婆制礼，断不敢如此"。这句话，千古以来，传为笑话，那晓得这句话，真正是千古名言。即为再嫁一事，男子何以可再娶，女子何以不可再嫁。千古以来，却没有人能明明白白的讲解一番，只可怜那些女子，也只晓得糊糊涂涂的守着这话做去，没有人敢出来反对。其实"夫妇之道，义以和亲，恩以好合"，曹大家不是说过的吗？既然说"以和亲，以好合"，丈夫死了，或是被出了，什么和什么好，都没有了，为什么不可再嫁呢？丈夫不肯为了"和""好"而不再娶，女子又何尝不可再嫁呢？所以我说这个"礼"是一班自私自利的臭男子定的，并不足据的，尽可不去管他。

  故曰：夫者，天也。

  你想这两句话，肉麻不肉麻，天是天，夫是夫，那有把人当作"天"的道理，只可恶那《仪礼》上说"夫者妻子天也，妇人不二适，犹曰不二天也"。曹大家的话，是从《仪礼》上来的，你想我们中国古时所说的"天"，何等尊严无上，何等法力无边，做丈夫的谁配称作天，天只有一个，那做妇人的，头上有了一个天，家中又有一个天，岂不成了"二天"了吗！怎么还说"不二天"呢？天是永远不会坍下的，那丈夫是要死的，丈夫死了，那做妇人的可不是没有"天"了吗？所以我说那些"礼书"，一大半是那些自私自利而又不通的男子捏造出来的。这句周婆制礼的话真正不错了。

  天固不可迷，夫固不可离也。

  这话尤其不通了，须知人与天是天然的关系，所以不可迷，若是妻与夫，便没有天然的关系，全由人力造出来的关系，那有"夫不离"之理。而且曹大家上面曾说过"夫为夫妇者，义以和亲，恩以好合"，可见曹大家自己也晓得夫妇是人力造成的关系了。试问天与人能够"义以和亲，恩以好合"吗？曹大家又说"恩义废绝，夫妇离矣"，这是曹大家自己说的"夫妇离矣"，怎么又说"夫固不可离也"这些混账话呢！这叫做"以己之矛攻己之盾"。哈哈哈，矛盾，矛盾。

> 行违神祇，天则罚之；礼义有愆，夫则薄之（薄字是瞧不起的意思）。

这话尤为不通了，一个人做了丑事，做了"礼义有愆"的事，无论什么人，父母兄弟，朋友邻舍，却要瞧不起他，何止丈夫一人呢，难道这些人都是他的天吗？哈哈哈。

> 故女宪曰："得意一人，是谓永毕，失意一人，是谓永讫。"

"女宪"不知是一个什么东西做的，你看他这四句话，何等卑鄙，何等下贱，什么得意失意，那一句不是娼妓的声口，堂堂的做了一个人，说什么"得意""失意"，那里还有一些独立的思想。唉，可怜呵，可怜呵！

> 由斯言之，夫不可求其心。

怎么叫做"求其心"呢！原来就是上面说的"得意"，就是"得其欢心"的意思。当妓女的，想得客人的钱，所以总想千方百计，要买客人的欢心。嗳哟，曹大家这句话，不是这个命意吗？千古以来的女子，那一个不行这个手段，要不行这手段，便要受大众指摘笑骂，说他是泼妇，说他不贤，说起来也伤心，我也不说了罢。

　　然所求者，亦非佞媚苟亲也。

恐怕不见得罢。

　　固莫若专心正色，礼义居洁，耳无淫听，目不邪视，出无冶容，入无废饰，无聚会群辈，无看视门户，此则谓专心正色矣。

这几句话，曹大家自己虽然说"亦非佞媚苟亲"，但是据我的意思看来，这正是"佞媚"的手段。何以见得呢？古人说"在人则欲其许我也，在我则欲其訾人也"。这一桩故事，正是千百年来的男子普通心理，曹大家很明白男子的心理，故来说这一大段的"专心正色"的话头，好去迎合男子的心理，这不是"佞媚"的工夫吗？我并不是不赞成这几句话，不过曹大家说了"礼义居洁，耳无淫听，目不邪视"，也就够了，为什么还要说"无聚会群辈，无看视门户"，这也未免太束缚了，未免太苦了，况且社会的阶级，不一而足，有的朱楼绣阁，有的金屋华堂，有的幽居空谷，有的竹篱茅舍，有的更苦了，那庄家人家的女子，上山斫柴，登峰采茶，下田锄地，那一件不要抛头露面。曹大家幸而生在世族之家，不知小民艰苦，一味胡吹乱道，说什么"无聚会群辈，无看视门户"，《汉书》上说曹大家"博学多才"，难道《诗经》上说的"采蘋""采蘩""采卷耳""采芣苢""嗟我妇子，馌①彼南亩"，曹大家都没有读过吗？这么一位不学无识的曹大家，说了这些无意识的话，从此以后，便把中国女界弄成一种拘攀束缚麻木不仁的世界，这个曹大家的罪过可就不小了，唉唉！

  若夫动静轻脱，视听陕输（不定貌），入则乱发坏形，出则窈窕作态，说所不当道，观所不当视，此谓不能专心正色矣。（未完）

（原载1908年12月23日至1909年1月12日《竞业旬报》第37至39期）

---

① 当作"馌"。

杀奸

周作人

连人权都没有，何论女权？

十一月二十七日①《世界日报》上法庭旁听记的题目是"杨家庄捉奸杀双案",下注"原夫把奸夫淫妇一对人头——装在口袋里去投案"。宛平县的农人曹殿元因妻曹刘氏与张宽通奸,把这两个都杀死了,这并不算什么奇事,但记事中有一节话却很有意思。"曹被众人这样一耻笑,就打算要杀张宽。但是杀人是要抵命的,所以几次动了杀念,又吓回去了。后来曹在无意之中听见人说,大清法律上写的有条文,说捉奸捉双,要把男女两颗人头同时砍下来,那是不要抵命的。曹本是一个无智识的人,听见这话,他也不知道前清法律现在是不适用的,所以听见有几个人这样一说,他就下了杀人决心了。"结果是在今年"古历九月初十日"他遂犯了上边所说的捉奸杀双案,在北平地方法院审理中。

这件事自然就令人联想到十一月二十五日《京报》上登载的"某军搁验拘辱法官案"上去。据检察官连寿庚在北平法官全体会议席上报告,"本法院于本月十八日夜十一时准公安局北郊区署电称,第三分署界内大有庄十字

---

① 指 1928 年 11 月 27 日。

街上有曾姓妇被现任国民革命军第三集团军十五军第二师参谋曾贤岑用枪击伤下身二处，旋即抬回十字街头九号（即曾贤岑之家），因伤重身死，请速检验等语。十九日上午九时十一时间又接该区署电称，该曾姓妇即系曾贤岑之妻，因平日不安于室，致被曾贤岑用枪击死。现该尸业经第二师长张显曾迫令抬往大有庄马圈东空地内掩埋。"结果是"检验之际突有兵弁数十人蜂拥而至，均各持手枪，驱逐在场警察，并以手枪迎面威吓寿庚及书记官署长署员等，迫令离开尸场，声势极为凶暴。其时环观民众数百人均纷纷逃散，秩序大乱。寿庚睹此情形，当即离开数步，该兵弁等仍持手枪追随，迫令同赴该师团部，至团部时该兵弁等犹声呼殴打，幸未下手"。

关于所谓摧残法权问题我们不想讨论，因为一则对于法政完全是外行，二则虽然"拘辱"，到底比张宗昌之枪毙高等厅长要好得多了：究竟是国民革命军，又有当局在平坐镇，距大有庄不过二三里路，不见得会闹得怎么厉害的。我所觉得特别有意义者是，上边所记的两个案件都是杀奸。宛平县农人曹殿元因其妻曹刘氏与人通奸，遂实行捉奸捉双，根据了"大清法律"。国民革命军第三集团军第十五军第二师参谋曾贤岑因其妻曾李氏"不安于室"，用手枪把她打死在十字街头，根据了——军法？

中华民国的法律是不承认杀奸的。农人是"无智识"

的，军官是有枪的，都不承认中华民国的法律。说他们是无法律那也是太冤，不过他们承认更古的法律罢了：许可杀双的大清法律比中华民国古，许可杀单的自然比大清更古了。表面是中华民国，也有了民国的法律了，然而上上下下都还是大清朝或以前的头脑，确信"女子是所有物，犯奸该死"，只看这两件杀奸案可以为证。中国现在到底不知道还是什么时代，至少总还不像民国，连人权都没有，何论女权？我看那班兴高采烈的革命女同志，真不禁替她们冤枉！（你们高兴什么？）

论女子为强暴所污

——答萧宜森

胡适

女子为强暴所污，女子的贞操并没有损失。

萧先生原书：

……学生有一最亲密的朋友，他的姐姐在前几年曾被土匪掳去，后来又送还他家。我那朋友常以此事为他家"奇耻大辱"，所以他心中常觉不平安；并且因为同学知道此事，他在同学中常像是不好意思似的。学生见这位朋友心中常不平安，也就常将此事放在心中思想。按着中国的旧思想，我这位朋友的姐姐就应当为人轻看，一生受人的侮慢，受人的笑骂。但不知按着新思想，这样的女人应居如何的地位？

学生要问的就是：

（1）一个女子被人污辱，不是他自愿的，这女子是不是应当自杀？

（2）若这样的女子不自杀，他的贞操是不是算有缺欠？他的人格的尊严是不是被灭杀？他应当受人的轻看不？

（3）一个男子若娶一个曾被污辱的女子，他的人格是不是被灭杀？应否受轻看？

（1）女子为强暴所污，不必自杀。

我们男子夜行，遇着强盗，他用手枪指着你，叫你把银钱戒指拿下来送给他。你手无寸铁，只好依着他吩咐。这算不得懦怯。女子被污，平心想来，与此无异。都只是一种"害之中取小"。不过世人不肯平心着想，故妄信"饿死事极小，失节事极大"的谬说。

（2）这个失身的女子的贞操并没有损失。

平心而论，他损失了什么？不过是生理上，肢体上，一点变态罢了！正如我们无意中砍伤了一只手指，或是被毒蛇咬了一口，或是被汽车碰伤了一根骨头。社会上的人应该怜惜他，不应该轻视他。

（3）娶一个被污了的女子，与娶一个"处女"，究竟有什么分别？

若有人敢打破这种"处女迷信"，我们应该敬重他。

（本文写于1920年6月22日）

关于女人

鲁迅

没有买淫的嫖男,

那里会有卖淫的娼女。

所以问题还在买淫的社会根源。

国难期间，似乎女人也特别受难些。一些正人君子责备女人爱奢侈，不肯光顾国货。就是跳舞、肉感等等，凡是和女性有关的，都成了罪状。仿佛男人都做了苦行和尚，女人都进了修道院，国难就会得救似的。

　　其实那不是女人的罪状，正是她的可怜。这社会制度把她挤成了各种各式的奴隶，还要把种种罪名加在她头上。西汉末年，女人的"堕马髻""愁眉啼妆"，也说是亡国之兆。其实亡汉的何尝是女人！不过，只要看有人出来唉声叹气的不满意女人的妆束，我们就知道当时统治阶级的情形，大概有些不妙了。

　　奢侈和淫靡只是一种社会崩溃腐化的现象，决不是原因。私有制度的社会，本来把女人也当做私产，当做商品。一切国家，一切宗教都有许多稀奇古怪的规条，把女人看做一种不吉利的动物，威吓她，使她奴隶般的服从；同时又要她做高等阶级的玩具。正像现在的正人君子，他们骂女人奢侈，板起面孔维持风化，而同时正在偷偷地欣赏着肉感的大腿文化。

阿剌伯的一个古诗人说："地上的天堂是在圣贤的经书上，马背上，女人的胸脯上。"这句话倒是老实的供状。

自然，各种各式的卖淫总有女人的份。然而买卖是双方的。没有买淫的嫖男，那里会有卖淫的娼女。所以问题还在买淫的社会根源。这根源存在一天，也就是主动的买者存在一天，那所谓女人的淫靡和奢侈就一天不会消灭。男人是私有主的时候，女人自身也不过是男人的所有品。也许是因此罢，她的爱惜家财的心或者比较的差些，她往往成了"败家精"。何况现在买淫的机会那么多，家庭里的女人直觉地感觉到自己地位的危险。民国初年我就听说，上海的时髦是从长三幺二①传到姨太太之流，从姨太太之流再传到太太奶奶小姐。这些"人家人"，多数是不自觉地在和娼妓竞争，——自然，她们就要竭力修饰自己的身体，修饰到拉得住男子的心的一切。这修饰的代价是很贵的，而且一天一天的贵起来，不但是物质上的，而且还有精神上的。

美国一个百万富翁说："我们不怕共匪（原文无匪字，谨遵功令改译），我们的妻女就要使我们破产，等不及工人来没收。"中国也许是惟恐工人"来得及"，所以高等华人的男女这样赶紧的浪费着，享用着，畅快着，那里还

---

① 旧时上海妓院中妓女的等级名称，头等的叫做长三，二等的叫做幺二。

管得到国货不国货,风化不风化。然而口头上是必须维持风化,提倡节俭的。

四月十一日①。

---

① 指1933年4月11日。

穷裤

周作人

古往今来的人似乎都很关心妇女们的贞节。

古往今来的人似乎都很关心妇女们的贞节。圣人说过，饮食男女人之大欲存焉，不过这原只是自然的要求，及至考虑性的占有之专一，那又进了一步，所谓人之所以异于禽兽者非欤。关于这件事情，古来贤哲不知费过多少心机，结局都没有什么效果。男女授受不亲，七岁不同席等等的隔离疗法，《不可录》的文艺政策，既然白化气力，秦始皇帝在吾乡的刻石以及沿了官塘奉圣旨旌表的贞节牌坊这些威胁利诱的办法也仿佛没有多大用处，至少是不切于日常家居之用。然而人急智生，好法子居然想出来了。这就是用黄门。想起来这事是很可笑的，可是直捷痛快的办法再也没有了。唯一的缺点是贵族的，纵使河间府的供给未必会缺乏，可是怕少有人用得起，向来爱用的也只是内廷和王府罢了。偶然读书，见有句曰，爱惜加穷裤，防闲托守宫，六朝诗人可见也在那里苦心焦思，这十个字实在说得很好，其效力或者还是很可疑，总之是一种实际的而且颇有诗意的方法了。

宋长白《柳亭诗话》卷四有穷裤一项题目，文曰："《上官皇后传》，宫人皆为穷裤，师古注曰，裈裆也。古诗，爱惜加穷裤，防闲托守宫，洪觉范不知出处，想未读《后汉书》耳。"平心而论，和尚不懂女人们的裈裆袴原也是情有可原的，而且实在这也不在《后汉书》里，我在《前汉书》卷九十七《外戚传》上找到本文云："光欲皇后擅宠有子，帝时体不安，左右及医皆阿意言宜禁内，虽宫人使令皆为穷袴，多其带。"注云："服虔曰，穷袴有前后当，不得交通也。师古曰，即今之裈裆袴也。"这个用意本来很是明了，经湖上笠翁不客气的一说尤其澈透，正可以借来作为古诗的注释。《闲情偶寄》卷三声容部治服三衣衫项下有一节论裙幅之必不可省，其警句云，"妇人之异于男子全在下体，男子生而愿为之有室，其所以为室者只在几希之间耳，掩藏秘器，爱护家珍，全在罗裙几幅，可不丰其料而美其制，以贻采葑采菲者诮乎。"但是再看民间文学解学士诗，有一节云："君王与解缙一日在宫中闲游，忽见一宫人来前，身穿比甲，九道纽扣，王命缙吟诗，缙吟一首云，'一幅鲛绡剪素罗，美人体态胜嫦娥，春心若肯牢关锁，纽扣何须用许多。'"这样看来，穷袴之为用岂不亦渺茫得很了么？

守宫的传说在中国流传已久。《前汉书》卷六十五《东方朔传》云，"上尝使诸数家射覆，置守宫盂下，射之皆不能中。"颜师古注曰："守宫，虫名也。术家云，以器养之，食以丹砂，满七斤，捣治万杵，以点女人体，终身不灭，若有房室之事则灭矣。言可以防闲淫逸，故谓之守宫也。今俗呼为辟宫，辟亦御扞之义耳。"《太平御览》九四六引《淮南万毕术》云:"守宫饰女,臂有文章。取守宫新合阴阳者牝牡各一,藏之瓮中,阴干百日,以饰女臂,则生文章,与男子合阳阴辄灭去。"又引《博物志》云,"蜥蝎或蝘蜓,以器养之,食以朱砂,体尽赤,所食满七斤,捣万杵,以点女人支体,终身不灭,故号曰守宫。"《本草纲目》卷四十三引陶弘景的话:"蝘蜓喜缘篱壁间,以朱饲之,满三斤,杀干末,以涂女人身,有交接事便脱,不尔如赤志,故名守宫。"以上是"术家"学说的大要,我们对于守宫的观念大抵都从此出,转入文学里成为重要的香艳题材,吴景旭《历代诗话》卷二十七引明汤公让咏守宫诗,有一联云,榴子色分金钏晓,茜花光映玉䩞寒,或以为风致不让玉谿生。从诗境跳回实生活来,守宫到底有无这种用处,那就很不好说,虽然据说左仪贞和十三妹都实验过,但是有些学者却不相信,如《本草纲目》在陶弘景后所引唐朝苏恭的话便云:"蝘蜓又名蝎虎,以其常在屋壁,故名守宫,亦名壁宫,饲朱点妇人,谬说也。"李时珍自己比较的客气一点说:"点臂之说,《淮南万毕术》,张华《博物志》,彭乘《墨客挥犀》,皆有其法,大抵不真,恐别有术,今不传矣。"这话大约是对的,我们只看各大药房的目录上都没有守宫丹发售,可见其法不传是确实的了。

我们回过头去看看外国是怎么样呢,守宫不听见说什么，穷袴之类则似乎是有的。野蛮一点的地方和时代普通是用缝法（Infibulation），有些是直接，有些是间接，如高加索山中某民族，用牛皮围腰而缝合之，至结婚时新郎以刀剖开云。这种办法令人想起中古的基督教隐士，据小蓝皮书二百一册《撒但与圣人》文中说，他们怕被撒但及其女儿们（即妇女）所诱惑，终日祈祷，绝食，折磨肉体，度他们的圣洁的生活。"有的把他们的身子缝在兽皮里，只留一个窟窿足够呼吸以及送进一点食物去。这样，他们活过多少年，在非洲的滚热的太阳之下。他们的灵魂一定是很洁净的了，因为完全包在牛皮里，只有口鼻留一空洞，身上积下许多有生和无生的东西，撒但自己也就不再去惹他，不必说那些美丽的女儿们了。他们终于能够免于犯罪了。他们唯一的思虑是在末日裁判上。"这样的牛皮包裹法，无论用于室女或是隐士似乎都颇适宜，但是一劳永逸的办法，缺少软性，亦是缺点。能有其长处而无缺点的乃是这牛皮包与穷袴的折衷，学名曰 Cingula Castitatis，意译当云贞节带者是也。说到带，大家第一要联想到的是希腊女人的腰带（Zone），此外还有一条胸带（Strophion），她们用这两条带束在上下身，使很宽大的衣褶从带上垂下去，如画上所见的那么样。平常这腰带一字也引申作别解，如史诗《阿迭舍亚》（*Odysseia*）卷十一所云解带（Zonen lysein）即含有婚媾的意义。不过带还只是一条带，并没有什么不同的构造，与后世的贞节带无关。一九三一年英国定瓦耳（Eric John Dingwall）博士所著《贞节带》（*The*

Girdle of Chastity）上说，十二世纪初年女诗人法玛理（Marie de France）的纪事诗中说英雄美人之别，于衣及带上打上好些特别的结，须等本人亲手来解，仿佛已曾说到这类事物，但在文中明白说出加以图解者则始于一四零五年吉塞耳（Konrad Kyeser）的手稿传记，至于欧洲各地博物馆所存实物虽尚不少，波修（C.de Boissieu）检查过二百条，只有两条是文艺复兴前物，其余多是十五至十七世纪所作，所以这带是中古欧洲的特产，是拉丁族的妒忌的丈夫怕他们妻女的不规矩，从十字军传来了东方的性的禁锢，加上西方的工艺的精巧，这种奇器便告厥成功了。

贞节带是什么东西呢？那可就很难说，这须得看图才容易明白。简单的说是丁字带，略如犊鼻裈，而是用金属制的，较古的只有前头一片，或用象牙做，但是普通那种前后两片的却都用铁或银制造，分作数节，中用铰链，套在铁片的腰带上，用锁一或三锁好，其钥匙自然拿在别人的手里。前后两片中间各开一孔，周围做出许多细而尖的锯齿，里面衬以红的或别的天鹅绒，片上钻小孔用线缝住。有些讲究的都雕出花纹，或题诗句。德国蔼耳巴哈伯爵藏品中有一条带子，前片上部雕作一裸体女人，一只狐狸举了尾巴正从她的腹下钻过去，女人用左手一把抓住尾巴，其下有德文小诗四句，大意云："住了，小狐狸！我抓住了你。你老是从这里走过去！"再下即纺锤形的孔，左边雕一卫兵，手执节钺在站岗，右边是些卷花图样。后片上部雕一女人坐在男子膝上，鸠首密谈，下有诗四行云："唉，让我告诉了你罢，女人们是老吃那袴子的苦。"这里称之曰袴（Bruch），令人想起穷袴来。这带制作精工，可以和世界著名的在巴黎克吕尼博物馆（Musée de Cluny）那两条相比。但是最有意义的却还是一八八九年在奥国乡村发掘出来的一条带子，现归巴亨格耳（A.M.Pachinger）所有，这是在一个铅棺里系在少妇骸骨的腰间，从那衣服破片的花纹看来是十六七世纪之交的东西，准此可知贞节带这物事在欧洲的某一时期确确实实的曾经用过，并不是如有些人所想像只是一种传说。不但此也，一八四八年有一个苏格兰医生做过一本书，提倡用一种特别的袴保护贞节，一九零三年德国有一位太太发明一种"防止不贞的锁带"请求立案。十九世纪后半法国曾有医疗器械商广告发售贞节带，凡分三种，两种是铁制的，价目一百二十及一百八十法郎，一种精制品是银的，价目三百二十法郎，说明其用处甚多，可以保全名节，防止私生，而且"能够把比金子还贵重的东西锁起来藏好"。既然有了货物，那么自然也有顾客。相安无事的也就罢了，闹出事来捉将官里去的又并不少。一八九二年法国波耳陀地方果酱公司的司事于莆德（Hufferte）案，一九零二年罗马雕刻家安奇洛谛（Ancilotti）案，以及一九一零年巴黎药剂师巴拉（Parat）案，都是明显的例，可见贞节带之为绅士们所赏识，虽然在法律面前已经小有违碍。定瓦耳的书作于一九三一年，近二十年的事情却没有纪载，大约是近来这种风化案已不大发觉了罢。

　　贞节带，有锁和钥匙的钢带，这真是理想的器具，假如要借了他力来防护贞操。在这里也可以看出西方文化来，我们中国决想不出这样的好办法，虽然士君子关心妇女的贞节之切也决不下于西方绅士。我们所想的办法多没有实效，穷袴等可见。上乎此者过激，如齐东野人所传说的以木槌敲妇女小腹的"幽闭"法，如《兰苕馆外史》所记"锁阴城"的缝法，是也。下乎此者又过宽，如《笑林广记》所说张仁的封条法，是也。想来想去，目的手段都在同一圈子里，而不能恰到好处，如贞节带那样神妙者，无他，工艺不发达故也。所可异者，利玛窦于千六百年到中国，带了红衣炮钟表等奇器进来，何以独没有拿来这样一条带子？那时候在西欧这带正在盛行，意大利又是发源地，德人所以有"意大利锁"（Italienischer Schloss）之称，若要带来恐怕俯拾即是罢，大约因为神父的面子不好意思，或者因为东方关于性的技巧薄有虚名，怕有运猫头鹰往雅典之诮，均未可知，然而实在乃大可惜，否则我们故宫或历史博物馆里一定可以有几条带子陈列着，不，或者至今市场还有发售，既是司空见惯，有如弓鞋高底鞋之类，那么也就不烦这样琐屑的再去记述他了。

苏小小与白娘娘
——在苏州省立女子中学的讲演

曹聚仁

"经济权"和"传统思想",
把一切女人都压住了。

PART 4 ◇ 一种节烈观 ◇

我今天说的是苏小小和白娘娘的故事。说书，苏州人最出色当行；我到苏州来说白娘娘的故事，岂不是"班门弄斧"！

我所讲的苏小小和白娘娘，和列位所知的略有不同；我以《西湖佳话》为蓝本。苏小小，我不曾见过；从前文人骚客都说她花容月貌，那总不会错的。她当二七年华，天天坐了油壁车在湖堤上逗引游人；马上就有许多"豪华公子，科甲乡绅，或欲取为侍妾，情愿出千金，不惜纷纷来说"。你想：有洋楼可住，有汽车可坐，写写意意做大人先生的小老婆，岂不是好？所以贾姨娘来劝她道："姑娘不要错了主意，一个妓女嫁到富贵人家中去，虽说做姬做妾，也还强似在门户中朝迎夕送，勉强为欢。"你知道苏小小怎么打主意，她说："我最爱的是西湖山水，若一入樊笼，止可坐井观天，不能遨游于两峰三竺了。况且富贵贫贱皆系于命，若命中果有金屋之福，便决不生于娼妓之家；今既生于娼妓之家，则非金屋之命可知。倘入侯门，……豪华非耐久之物，富贵无一定之情，入身易，出头难，倒不如移金谷之名花，置之日中之市，嗅于鼻谁不怜香，触之目谁不爱色，……若能在妓馆中做一个出类拔送给他，这元宝还是从太尉库中偷来的。许宣发配到牢城，白娘娘带了小青赶到牢城，死心塌地地替他做家主婆，让许宣过舒服的日子。许宣一面贪恋白娘娘的美貌，一面为妖怪的念头所苦；在牢城相信道士的符水，在镇江相信金山寺大和尚的佛法，一定要迫白娘娘逃回西湖。结末是这样一个悲剧：白娘娘正坐在那里梳头，许宣取了法海禅师的钵盂，悄悄到家，乘她不留神，走近她身背后，将钵盂往头上一罩，用尽平生之力，将白娘娘罩在里面。法海禅师一到，白娘娘和小青都显了原形。禅师将她们罩在钵盂之内，拿到雷峰寺前，令人搬砖运石，砌成塔基，压于其上；后来有许多人愿做功德，不多时竟造成了一座巨大的雷峰塔，法海禅师还留了四句偈语："雷峰塔倒，西湖水干，江潮不起，白蛇出世。"

我们且把这两个故事，错综地看一看，这是很好的对照。苏小小所过的是唯美的享乐主义的生活，她是典型的摩登女子，她是东方的茶花女。白娘娘正与之相反，她是贤妻，完全为她的丈夫牺牲她自己。但是苏小小以她自己为中心，把男性旋转得天昏地暗；千百年后的文人还不断地替她捧场。白娘娘以"夫"为"天"，跟着丈夫跑，丈夫当她是妖怪是蛇，用钵盂罩在她的头上，用雷峰塔镇在她的身上，使她不能出世。我们中国的礼教网，自南宋以后，渐渐完密，何以对于苏小小这样优容，对于白娘娘这样苛刻？这不是值得我们考量一番吗？原来农业社会的有闲享乐生活，为贵族（王族，卿相）地主阶级所独占；贵族地主的门下，有幕僚清客这些清高的文人替他们帮闲，凑趣。苏小小的生活，虽为礼教所不容，却正是有闲阶级的享乐对象；孔老夫子尚且愿意去见南子，王孙公子自然心甘意愿为苏小小所颠倒的了。清高的文人，至少都有八斗才，个个都是才子；有才子必有佳人，苏小小正是千百个才子的最好对象，——哼"湖山此地曾埋玉"的才子，天天可以在湖堤上看见。所以苏小小的生活虽在士大夫礼教之外，却在士大夫对象之中，可以留在那边，替湖山生色的。

至于白娘娘，她是许宣的家主婆，媳妇一进门，婆婆就不高兴。婆婆谈起她的媳妇总必摇头叹气道："自从我家那个狐狸精进门，我的儿子听了床头哄，什么都变了样儿了！"于是东也是那个妖精不好，西也是那个妖精不好，迫得儿子虐待了媳妇，那才称她老人家的心愿。诸位同学，你莫以为我们是生在二十世纪，受过教育的。你若嫁在一个大家庭，进门那几年，男家没有什么变故便好；若是风吹草动，公公丢了官，丈夫失了业，都会怪你是个克星，天天诅咒你，使你不得安身的。要忠实做贤妻的女子，注定是"妖怪""蛇"的命运，那真无可逃避的呀！上海四马路有一家药房的窗柜里，坐了一位长衫马褂的少年，他的身上纠缠了一条大蛇，蛇的头正是一个美人；那正是"女人是蛇"的最好说明。礼教先生说：若非我的母亲是女人，我早杀尽一切女人！——当然不杀苏小小。

白娘娘并不怕许宣，但是许宣有法海禅师给他的钵盂，罩在头上，使她不能转动。这个钵盂是什么，那便是经济权。白娘娘压在地底，法海禅师砌了塔基，便有许多人愿做功德，造成一座巨大的雷峰塔。这巨大的雷峰塔，便是千百年来的传统思想。"经济权"和"传统思想"，把一切女人都压住了。

现在，雷峰塔是倒掉了，钻出来的白娘娘，她头上还罩着法海禅师的钵盂，她能转动吗？谁来替白娘娘敲破这个钵盂呢？诸位同学，请仔细想一想！